회귀 경찰의 리셋 라이프

The Reset Life

회귀 경찰의 리셋 라이프 3

초판 1쇄 발행 2021년 10월 12일

지은이 | 한길
발행인 | 신현호
편집장 | 이호준
편집 | 송영규 최종건 정재웅 양동훈 곽원호 조정범 강준석 최성화
편집디자인 | 한방울
영업 · 관리 | 김민원 조인희

펴낸곳 | ㈜ 디앤씨미디어
등록 | 2002년 4월 25일 제20-260호
주소 | 서울시 구로구 디지털로 26길 111 JnK디지털타워 503호
전화 | 02-333-2513(대표)
팩시밀리 | 02-333-2514
E-mail | papy_dnc@dncmedia.co.kr

값 8,000원

ISBN 979-11-364-2655-0 04810
ISBN 979-11-364-2581-2 (SET)

Papyrus Modern Fantasy
한길 현대 판타지 장편소설
회귀 경찰의
리셋 라이프
3
PAPYRUS
파피루스

1장. 도주의 달인

"친구들을 만나랬지 여행을 가란 게 아니었는데."

"나도 이제 고3이고 하니 잠깐 머릿속을 정리하려는 거예요. 미안해, 엄마."

여행.

합숙이나 대회 출전이 아니라, 스스로의 의지로 떠나는 거다.

지금껏 품 안에만 있던 아들이 품을 벗어나 날갯짓을 하려고 하자 고정숙은 섭섭해졌다.

지금까지 홀로 키워 오며 못해 준 게 더 많은 하나뿐인 아들이라 시원하고 대견했지만 그보단 섭섭함이 컸다.

언제나 품 안에서만 살아갈 거라고 생각했기에, 너무 갑작스럽기에 그럴 수밖에 없었다.

하지만.

"알았어. 조심히 갔다 와."

부모로서 자식의 성장을 막을 수 없다.

종혁은 작은 체구의 어머니를 꼭 끌어안았다.

"사랑해요."

더 말하기 귀찮다는 듯 손을 저으며 돌아섰지만, 서운함이 가득했던 그녀는 아들의 팔을 쓸어내렸다.

"밥 잘 챙겨 먹고, 아프지 말고, 사고 치지 말고."

"엄마도. 괜히 귀찮다고 물 말아서 김치만 먹지 말고, 아프면 병원 가고."

"그래. 가. 연락 자주 하고."

"다녀올게요."

'죄송합니다.'

쿵!

등 뒤로 닫힌 문을 바라보던 종혁은 몸을 돌리며 이를 갈았다.

정보에 대한 출처를 제대로 밝힐 수만 있어도 이러진 않았을 일. 아는 지인에게 들었다고 둘러대는 것도 말이 안 된다.

워낙 대단한 놈이라 이쪽도 알리바이가 필요했다.

까득!

"이렇게 된 이상 넌 무조건 잡는다."

밖으로 나온 종혁은 택시를 잡았다.

"아저씨, 청계천이요!"

* * *

–나도! 나도 여행 가고 싶은데!

전화기 너머, 드러누워 발버둥 치는 수호.

–여자 조심해. 여자는 나 빼고 다 여우야! 알았지?

귀여운 말을 하며 투정을 부리는 소영.

혹여 찾아올까 전화를 한 종혁은 웃을 수밖에 없었다.

사람들이 돌아다는 대로 안쪽 골목, 그런 종혁을 안내하다 멈춘 오십대 여성이 종혁의 위아래를 훑는다.

"가출은 아니죠?"

"가출하는 놈이 이렇게 속옷이나 옷을 바리바리 싸들고 오겠어요?"

종혁은 백팩과 스포츠 백을 들고 있었다.

"……하긴. 미안해요. 요새 밀레니엄이다, 세상이 곧 망한다 해서 마지막을 즐기겠다고 가출하는 애들이 워낙 많아서 그래. 우리 옆집 애도 그렇게 가출했어."

"그래요? 뭔 핑계가 그렇게 거창하대요?"

"호호호! 내 말이. 아, 주택 사글세보다는 원룸이 좋다고?"

"혼자 살 거라서 넓은 곳보다는 좁아도 깨끗한 곳이 좋아요. 요새 금리 안 좋아서 월세 매물 많죠?"

"어머나. 그런 것도 알아요? 뉘집 아들인지 엄청 야무지네. 그래서 그렇게 까다롭나?"

벌써 3개의 집을 패스했다.

"아, 저기 어때요?"

복덕방 아주머니가 가리키는 원룸을 본 종혁은 주위를 둘러봤다가 눈을 빛냈다.

'드디어 여기에 왔군.'

생각보다 빨랐다.

"그보다 저기는 어때요? 채광이 좋을 것 같은데."

종혁은 하얀색 맨션을 가리켰다.

"저기 좋죠. 지은 지 얼마 안 돼서 튼튼하고. 그런데 매물이 있을지 모르겠네…… 잠시만."

여기저기 전화를 건 그녀는 어색하게 웃었다.

"어쩌죠? 매물이 없다는데…… 그보단 저 맞은편 원룸은 어때요? 작년에 지은 건데 엄청 깨끗해."

"으음."

종혁은 찢어지려는 입을 억지로 감추며 고민하는 척했다.

본디 감시는 같은 건물보다 그 맞은편, 특히 입구가 보이는 곳이 좋았다.

즉, 이 동네에 도착하자마자 노렸던 건물이란 말이었다.

"알겠습니다. 한번 보죠."

여러 개의 방 중 하나를 택한 종혁은 그 자리에서 바로 가계약을 했다.

"한 달 월세는 지금 은행 가서 쏴 드릴게요. 그리고 일주일 뒤에 어머니 오시면 그때 정식으로 계약서 쓸게요."

지방이라 그런지 월세가 무척 쌌다.

"호호. 젊은 사람이라 화끈하네! 사장님 땡잡으셨어. 이 힘든 시기에 방 하나 나가는 게 어디야?"

"어흠. 내 집처럼 편하게 지내요."

원룸 주인과 복덕방 아주머니가 나가자 종혁은 한숨을 내쉬었다. 솔직히 이것저것 물어 오는 복덕방 아주머니 때문에 꽤 곤욕스러웠다. 그래도 성실히 대답한 건 이 동네에 자연스럽게 녹아들기 위해서였다.

동네 온갖 소문의 근원지인 미용실 원장님과 복덕방 주인.

이로써 가구 같은 걸 들이는 모습을 보이면 동네에 완전히 녹아드는 거다.

"크. 최종혁. 돈이 있으니까 이렇게 편하게 잠복을 하는구나."

형사 시절, 언제 범인이 나타날지도 모르기에 비싼 원룸은 꿈도 못 꿨다. 거의 차에서 감시하다 교대한 후 사우나에서 잤고, 정말 어쩌다 모텔이었다.

"차는 안 되지. 차는."

모르는 차가 동네에 있는 순간 튀어 버릴 놈이다.

그렇기에 이놈을 잡기 위해 97만여 명이 동원되었고, 전국 6개 지역의 지방경찰청에 수사본부가 설치되었었다.

거의 전국을 돌아다니며 도주 행각을 벌인 한상원. 놀

랍게도 그 와중에 범죄까지 저지른 악질이다.

"그러게 왜 일기 같은 걸 썼니."

지난 그의 범행과 탈출 경로, 그 기간 동안 있었던 일들이 모두 적힌 일기.

"몇 호인지 적었으면 좋았을 테지만……."

한상원은 만난 여성들의 신원에 대해 끝까지 말하지 않았다.

그 본인은 의리를 지키겠다 말했지만, 웃음만 나올 뿐이었다.

"원활한 도주를 위해 이용한 것뿐인 주제에 무슨."

하지만 그렇다고 한들 상관없다.

창문에 서서 맨션을 바라보던 종혁은 몸을 돌렸다.

그리고 등에 멘 가방을 내려 열었다.

지이익!

메가폰을 닮은 작은 안테나와 컴퓨터 본체 반만 한 사각 기계.

청계천 뒷골목에서 구한 도청 장치이다.

튜닝을 거치기에 보급품보다 나은 성능을 자랑하는 이 시기 청계천표 물품들. 괜히 청계천에서는 돈만 있으면 탱크도 살 수 있다는 말이 나오는 게 아니다.

"이게 있는 이상 어차피 길어야 일주일."

문제는 한 동뿐인 5층짜리 맨션, 십수 개의 방 중 어디에 숨었냐는 것이지만 괜찮다. 알아낼 방법은 얼마든지 있었다.

손가락 두 마디만 한 크기의 작은 기계를 만지작거리던 그는 꾹 눌렀다.

-달링 알러뷰.

비실 웃은 그는 몸을 일으켰다.

"커튼 사야겠네."

그리고 침대나 가구도.

종혁은 한상원을 비롯해 동네 주민들의 의심을 피하기 위한 모든 걸 사기로 했다.

"역시 돈이 좋아."

오랜만에 하는 잠복이라서 그런지 가슴이 뛰었다.

* * *

짙은 암막 커튼에 숨어 찰칵찰칵.

맨션 입구를 드나드는 사람들을, 주로 여성들을 찍던 종혁은 띵동띵동 벨이 울리자 카메라를 숨기고 암막 커튼을 활짝 열었다.

좌악!

정오의 햇빛이 눈부시게 쏟아졌다.

띵동! 띵동!

"예, 나갑니다!"

활짝 문을 여니 사십대 중년인이 환하게 웃었다.

"떡 시키셨죠?"

종혁도 그가 든 박스를 보며 환하게 웃었다.

'왔구나!'

어디에 숨었는지 알아낼 방법.

아주 고전적인 방법.

바로 이사 떡 돌리기였다.

계산을 치른 종혁은 곧바로 움직였다.

"그래요. 이웃끼리 잘 지내 봐요."

"예, 잘 부탁드립니다."

옆집부터 차례로 떡을 돌린 종혁은 슈퍼 앞 평상에 앉아 재잘거리던 아주머니들을 보며 눈을 빛냈다.

동네의 모든 소문은 어디든 한군데 모인 아주머니들에게서부터 시작된다. 그렇기에 잠복을 할 땐 이들의 눈에 띄지 않는 게 제일 우선순위였다.

하지만 지금은 아니었다.

"안녕하세요, 아주머니들. 슈퍼 아주머니는 어제 뵀죠?"

"그러게. 어제 저기 원룸에 이사 온 총각이네."

그는 아까 전부터 보고 있었음에도 이제야 알아보는 척하는 한 아주머니의 모습에 웃음을 삼켰다.

"아, 이 총각이 어제 복덕방 언니가 말한 그 총각이야?"

"응. 이 총각이야. 공부를 하러 왔다나? 맞지? 어제 바리바리 짐을 옮기더니만 벌써 정리 끝났어? 방금까지 커튼 쳐져 있더니 이제 일어난 거야?"

"하하. 보셨어요?"

역시 넘쳐 나는 이웃 간의 정에 비밀이 없는 시기다웠다.

그리고 생각한 대로 소문이 돌고 있어서 만족스러웠다.

"여기 이사 떡 좀 가져왔어요. 그리고 선물도요. 인형이에요."

커다란 봉지에 담긴 떡과 포장지에 싸인 무언가들.

아주머니들의 눈이 빛났다.

"어머. 젊은 총각이 이런 것도 알아?"

"어이구. 사람이 됐네, 됐어. 원룸에도 떡은 다 돌렸고?"

"아니요. 나중에 돌리려고요. 출근하신 것 같더라고요."

"하긴. 거기 원룸이 다 아침에 출근하긴 하지. 그래도 너무 늦게는 돌리지 마. 예쁜 아가씨들이랑 눈 맞을라!"

깔깔깔 웃음이 터졌고, 종혁은 어색하게 웃었다.

슈퍼 아주머니는 그 말을 한, 맨션 입구에서 붕어빵을 파는 아주머니를 퍽 밀쳤다.

"다 늙은 아줌탱이가 젊은 총각한테 못 하는 말이 없어. 하여튼 어제 야무지게 사는 걸 보니 도움 줄 건 없는 것 같고…… 떡이 그렇게 많은 걸 보니 주위에 다 돌리려는 거야?"

"다는 아니고. 이 근처만요. 이 앞에 맨션까지."

"저거?"

아주머니들의 얼굴이 미묘해졌다.

"왜요? 안 돼요?"

"으응. 아니. 그런 건 아니고……."

이런 말을 해도 되나 갈등을 하던 슈퍼 아주머니가 목소리를 낮췄다.

“소문이 좋지 못한 여자들이 사니까 조심해.”

“소문이요?”

눈을 빛낸 종혁은 슬그머니 평상에 엉덩이를 뭉갰다.

“만날 오후에 나갔다가 새벽에 술 취해 들어오는 여자들이 많거든.”

‘그렇지!’

도주하는 동안 여자가 끊이지 않았던 한상원.

그와 함께 산 여성은 대부분 업소 여성이었다.

“아아. 걔네들 말하는 거지, 언니?”

“응, 걔네들. 뭐 이렇게 훤칠한 총각이 그런 데 한눈팔 사람은 아닐 테지만, 조심할 건 조심해야지.”

슈퍼 아주머니의 눈을 본 종혁은 입맛을 다셨다.

‘들켰네.’

이래서 얼굴이 알려지면 귀찮다.

그래도 더 이상 내색을 하지 않는 게 고마웠다.

“그래요? 혹시 몇 호, 몇 호인지는 아세요?”

“왜에? 혹시…….”

“피하려고요.”

아니다. 무조건 가야 했다.

이런 생각을 모르는 슈퍼 아주머니는 혹여 종혁이 나쁜 물에 물들까 얼른 방 호수들을 말했고, 종혁은 감사함을 표했다.

‘정말 귀중한 정보를 얻었군.’

사람들에게 친근하게 군 결과가 바로 나온 것에 종혁은

주먹을 꾹 쥐었다.

“감사합니다. 수고하세요.”

“그래. 필요한 거 있으면 언제든 찾아오고!”

“또 봐, 총각!”

손을 흔드는 아주머니들을 뒤로한 종혁은 맨션으로 향했다.

* * *

띵동! 띵동!

멀리서부터 들려오는 초인종 소리.

점점 가까워지고 있다.

알몸의 여성을 끌어안은 채 자고 있던 사내의 눈이 번쩍 뜨였다.

숨을 죽인 그는 귀를 기울였다.

계…… 이사…… 떡……

방음이 잘되지 않는 맨션이다 보니 희미하게 대화가 들린다.

‘젊은 사내 목소리. 이사 떡?’

“……누가 이사 온 건가?”

안심하며 다시 잠들려는 순간, 왜인지 뒷목의 솜털이 쭈뼛 선다.

‘설마?!’

팔을 빼낸 그는 재빨리 옷을 입고, 안방 창문의 커튼을 살짝 걷어 바깥의 동정을 살폈다.

그렇게 한참 살핀 그는 고개를 모로 기울였다.

“아닌데?”

주차 된 차, 지나는 사람, 거리의 분위기. 모두 평소와 같다.

수다쟁이 여편네들도 슈퍼 앞 평상에 앉아 평소처럼 깔깔거리며 웃고 있다.

“우웅. 상원 씨?”

허우적거리다 기어 온 여성이 한상원의 등을 끌어안는다.

“흐응. 상원 씨 냄새…….”

한상원의 눈빛이 차가워졌다가 이내 호선을 그렸다.

“내 냄새가 그렇게 좋아?”

“좋아…….”

“후훗. 알았어. 더 자.”

“으응.”

그 순간이었다.

띵동띵동.

“계세요? 맞은편 원룸에 이사 온 사람인데요. 이사 떡 좀 돌리러 왔습니다! 맛있는 찹쌀떡이에요!”

어느덧 옆집에서 들리는 소리에 여성의 눈이 떠졌다.

띵동! 띵동!

“안에 안 계세요?”

혀를 찬 여성은 몸을 일으켜 티셔츠를 입었다.

"나가지 마. 느낌이 안 좋아."

띵동! 띵동!

"여보세요?"

띵동! 띵동!

"……저런 데도요? 나 이 시간에 잠 깨?"

"쯧."

한상원은 어쩔 수 없이 고개를 끄덕이며 화장실로 향했고, 여성은 현관으로 향했다.

"아침부터 시끄럽게 누구……."

현관문을 벌컥 연 여성은 침을 꼴깍 삼켰다.

지퍼가 열린 재킷 사이로 드러난 우람한 근육질 덩치에, 작고 동글동글 귀여운 얼굴.

꼬리 끝이 올라간 눈매가 사내다움을 물씬 풍기는데 눈이 마주치자마자 재빨리 돌린다.

여성은 셔츠와 팬티만 입은 자신의 옷차림을 보고 피식 웃었다.

'귀엽네.'

일단 형사는 아니다.

형사치곤 너무 어렸다.

긴장을 푼 그녀는 배시시 웃었다.

"옆집 이사 갔어요."

"그래요? 전 그것도 모르고…… 아, 여기요. 맞은편 원룸에 이사 왔는데, 이사 떡을 돌리고 있거든요. 인형도요."

"인형?"

눈을 빛낸 그녀는 종혁이 내민 걸 받아 들고서 포장지를 벗겼다.

"어머? 곰 인형이네?"

"버튼 누르면 소리도 나와요."

–달링 알러뷰!

뜬금없는 소리에 그녀는 웃음을 터트렸다.

하지만 종혁의 말은 아직 끝나지 않았다.

"그…… 이것도 가지세요!"

"또 주는 거야?"

그녀는 눈을 마주치지 못하는 종혁의 모습에 다시 웃었다.

"고마워. 예쁘게 잘 키울게. 그리고 떡 잘 먹을게! 아."

그녀는 옆 신발장에 둔 지갑에서 명함을 꺼냈다.

"언제 한번 놀러 와요! 잘해 줄게."

"비너스…… 유흥 주점? 유, 유미?"

동그래지는 눈에 깔깔 웃은 여성은 문을 닫았다.

그러곤 슬그머니 안방을 나오는 한상원에게 떡과 인형들을 보여 주었다. 그런데 한상원은 인형들을 뺏다시피 가져와 모두 배를 갈랐다.

"흡?!"

"쉿!"

검지를 입에 가져다 댄 그는 인형 안에 있는 모든 장치들을 빼서 눌러 봤다.

―달링 알러뷰. 달링 알러뷰.

모든 기기에서 똑같은 소리가 나자 그제야 한상원의 눈빛이 풀렸다. 그는 여성을 향해 입을 열었다.

"미안. 느낌이 안 좋아서."

"……히잉. 오랜만에 받은 인형 선물이었는데."

"내가 더 좋은 거 사 줄게."

"……약속이에요!"

상원은 고개를 끄덕였고, 여성은 그제야 마음을 달랠 수 있었다.

인형 잔해를 쓰레기통에 넣은 둘은 다시 안방으로 향했다.

한편 떡을 다 돌리고 맨션을 빠져나온 종혁은 눈빛을 가라앉혔다.

'남자 냄새.'

슈퍼 앞 아주머니들이 알려 준 방들 중, 유일하게 유미라는 가명을 쓰는 여성에게서만 희미하게 남자 냄새가 났다.

하루에도 몇 번씩 샤워하는 업소 여자에게서 남자 냄새가 난다? 무조건 기둥서방이 있는 거다.

"찾았군."

그의 입가에 사나운 미소가 맺혔다.

이제 남은 건 한상원의 목소리를 듣는 것뿐이다.

도청 장치가 든 인형은 둘의 방에 있을 터.

"오늘 안에 끝나겠네."

* * *

암울한 시대가 만든 범죄자, 한상원.

한편에서 말하길 부잣집만 터는 의적.

그는 국민학교 시절 선생에게 촌지를 주지 않아 아이들 앞에서 큰 망신을 당한 이후 악마가 되어 버렸다고 밝혔다.

"지랄."

범죄자는 무슨 변명을 해도 범죄자였다.

그보다 힘들게 살았는데도 선하게 자란 사람이 천배 만배 많다.

물론 어쩌다 엇나가 범죄자가 된 케이스라도 회개를 한다면 사람 취급을 해 줄 수 있지만, 한상원은 그런 놈이 아니다.

자서전을 쓰는 그 순간까지도 변명만 늘어놓던 그.

-다녀올게요. 필요한 거 있어요?

커다란 헤드셋을 낀 채 창문 옆 침대에 누워 도청기기 본체를 배 위에 올려놨던 종혁이 몸을 일으켰다.

안방이 아니라 다른 곳에 놔둔 듯 감도가 약하던 도청기.

박살이 나진 않은 것 같았지만, 신경이 쓰일 수밖에 없었다.

미래, 범인의 가족을 감시하거나 수사에 협조하는 사람

들에게 들려 보내는 도청 장치. 말하는 인형의 보이스 기기에 이중으로 숨겨 두는 거라서 매사에 조심스러운 사람이라도 속을 수밖에 없다.

보이스 기기를 열어 보지 않는 이상 말이다.

이는 종혁이 직접 청계천 뒷골목에 오더를 한 거다.

종혁은 숨을 죽였다.

-아니. 오늘은 답답해서 잠깐 나갔다 오려고.

끕!

종혁은 터져 나오려는 비명을 겨우 참았다.

오늘 안에 한상원의 목소리를 들을 거라 예상했지만, 정말 들을 거라고는 생각지 못했다.

"집 안이라고 방심한 건가?"

그는 얼른 음역을 키웠다.

-괜찮겠어요?

-새벽에 잠깐 나갔다 올 건데, 뭐.

"나간다고?"

순간 온몸의 신경이 곤두섰다.

여차하면 튀는 촉을 가졌기에 잡지 못한 한상원.

종혁은 귀를 기울였다.

-그리고…… 계속 일 시켜서 미안해.

'인형을 신발장 근처에 뒀군. 쓰레기통에 버린 건가?'

소리가 천둥처럼 들린다.

-또, 또 그런 소리 한다. 상원 씨는 떳떳하게 돌아다닐 수 없잖아요. 제가 좋아서 하는 거예요.

—……미안하다. 그리고 사랑한다.

쪽쪽, 버드 키스 소리는 구역질을 하느라 듣지 못했다.

“가지가지 한다. 찌질한 새끼가 변명은.”

훗날 여러 영화들로 인해 나쁜 남자로 미화되는 기둥서방.

그저 돈 벌기는 싫어 여자를 업소에 보내는 찌질이일 뿐이다.

헤드셋을 벗은 종혁은 책 한 권을 들고 창가로 걸어가 이제 막 맨션 입구로 걸어 나오는 유미를 눈에 담았다.

슈퍼로 다가간 그녀는 슈퍼 아주머니와 어떤 대화를 나눴다.

둘의 손짓과 발짓, 그리고 입술의 움직임을 보면 대충 이랬다.

‘저기 원룸에 이사 온 청년에 대해 아냐.’

‘좋은 청년이다. 넘보지 마라.’

뭐 이런 대화였다.

도청기를 설치할 수 없는 상황에서 범죄자들의 대화를 엿들어야 되기에 자연스레 익히게 된 독순법.

“의심하고 있군.”

슈퍼 아주머니의 말이 마음의 상처가 됐는지 발을 동동 구르며 돌아선 그녀는 휴대전화를 들었다.

입술 움직임을 보면 대충 ‘정말 이사 온 거다’라는 뜻이었다.

누구에게 전화를 걸었는지 바로 예상할 수 있는 말이었다.

그러다 종혁과 눈을 마주친 그녀는 웃으며 손을 흔들었고, 종혁은 머뭇거리다 책을 든 손을 들어 흔들었다.

꺄르르 웃은 그녀는 발걸음 가볍게 떠났고, 돌아선 종혁의 눈빛은 차가워졌다.

"저 여자…… 흠."

띵동띵동!

다급히 이불을 던져 도청기를 감춘 종혁은 현관문을 열었다.

알싸한 냄새를 풍기는 작은 통이 내밀어졌다.

"총각, 파김치 좋아해?"

"사랑합니다!"

안쪽을 스윽 둘러보던 슈퍼 아주머니는 뜬금없는 고백에 웃음을 터트렸다.

짜파게티 열 봉지에 계란 프라이를 몽땅 넣어서 파김치에 야무지게 싸먹은 종혁은 새벽 2시 불 꺼진 방에서 졸음과 싸우다 눈을 번쩍 떴다.

–탁탁.

신발을 신는 소리.

–……남은 장물 정리하고 돌아오는 길에 인형을 구해야겠군. 옆 동에서 인형 파는 리어카를 본 것 같은데.

강도살인 및 치사. 본래 강도였던 놈답게 사상부터 불순했다.

"정말 산책인가?"

이렇게 숨어 지내는 와중에 도둑질을 한 게 놀랍다.

"하긴 이런 이유 때문에 여러 고위 간부 목이 날아갔지."

도주하는 동안에도 절도 및 강도 행각을 벌인 한상원.

종혁은 암막 커튼 사이로 살짝 드러낸 카메라에 다가갔다. 약간의 시간이 흐른 후 한상원이 맨션 입구로 걸어 나오고 있었다.

대담한 한상원답게 터벅터벅, 한량처럼 느긋이 걷고 있었다.

모두가 잠들어 고요한 새벽녘, 뭔가로 가득 찬 가방을 들고 있어서 그런지, 열어 놓은 화장실 창문으로 달각달각 금속이 부딪치는 소리가 희미하게 들렸다.

본디 출근할 때 미련이 남은 듯 뒤를 돌아보거나, 퇴근할 때 집에 누군가 기다리고 있는 듯 장 본 것을 바리바리 싸들고 다급히 들어가는 업소 여성 등 용의 선상을 좁히기 위해 구매한 카메라.

도청기의 안전한 침투로 인해 구매한 의미가 없어졌지만, 종혁은 그를 찍었다.

플래시 없고, 소리 없는 셔터가 눌렸다.

청계천에서 개조된 초고가의 물건. 성능은 확실했다.

그 순간 한상원이 창문을 쳐다봤다.

"……!"

카메라를 통해 서로를 쳐다보는 둘.

종혁은 그의 얼굴을 뚫어져라 쳐다봤다.

'설마? 설마?'

"……휴."

종혁은 곧 고개를 돌려 사라지는 한상원의 모습에 가슴을 쓸어내리며 미행 준비를 했다. 그렇게 모자를 잡아 가던 종혁은 갑자기 찌릿 하고 촉이 선 탓에, 모든 행동을 멈추며 귀를 기울였다.

숨소리조차 조절한 약 20여 분이 흐른 후.

……터벅터벅!

누군가 원룸 계단을 내려가는 소리가 들렸다.

종혁은 헛웃음을 지었다.

"이 개새끼."

아무래도 미행은 무리일 것 같았다.

갈등하던 종혁은 매트리스에 엉덩이를 붙였다.

"……튀는 건 아니야."

점퍼의 후드는커녕 모자나 마스크조차 쓰지 않았다.

누군가를 피하기 위해 도망치는 사람은 본능적으로 얼굴을 가리려 하는데, 이는 무의식적인 행동이라서 인식하지 못하는 부분이다. 지금 시대의 형사는 이걸 경험을 통해 알고 있지만, 가까운 미래엔 심리학이 기반이 된 수사 기법 중 하나로 정리된다.

역시나 이런 종혁의 생각이 맞는 듯 아직 누구도 깨어나지 않은 새벽 3시 반이 되자 한상원이 다시 모습을 드러냈다.

한 손엔 제 몸의 반 만한 곰 인형을 들고.

"절도죄 추가, 씨방새야."

한상원이 맨션으로 들어갔다. 이후 7시에 유미가 퇴근하고, 둘이 머무는 방에서 꺅 비명 소리가 터진 이후 커튼조차 걷히지 않자 종혁은 휴대전화를 들었다.

-어으. 여보세요…….

"반장님, 저 아무래도 한상원을 본 것 같은데요. 사진도 찍었어요."

지금 당장이라도 혼자서 한상원을 잡을 수는 있다.

하지만 만에 하나 도주를 한다면 감당할 수 없는 일이 벌어진다. 그래서 종혁은 다른 사람의 손을 빌리기로 했다.

-쿠당탕! ……뭐, 뭣?! 어디서? 거기가 어딘데!

"여기가……."

* * *

눈을 번쩍 뜬 한상원은 커튼을 살짝 열었다가 헛웃음을 지었다.

"그놈인가……."

아니다. 종혁은 깨끗한 신발장만 보고 돌아갔다.

거기다 팬티를 드러낸 여자를 봤는데, 그런 남자가 다른 걸 생각할 수 없을 터.

'베테랑 짜바리면 몰라도.'

그는 다시 바깥을 봤다.

모르는 차 두 대에, 처음 본 사람 다수.

이 짧은 시간에 벌써 한 명이 맨션 입구를 두 번이나 지나쳤고, 고작 10시밖에 안 됐는데 붕어빵 천막이 펼쳐져 있다.

종혁이 밀고자가 아니라도 역시 감을 따랐어야 된다고 자책한 한상원은 유미와 그 옆에 놓인 곰 인형을 보았다.

'저것만 아니었다면!'

모두 유미 때문이다. 작은 미련이 이렇게 만들었다.

죽일까 생각했던 한상원은 이내 고개를 저었다.

'그럴 시간이 없다.'

반항이라도 했다가는 귀찮아지는 것도 있지만, 지금부터는 그녀의 역할이 중요하다.

그는 유미를 흔들어 깨웠다.

"우웅. 왜요……."

"이거 가지고 얼른 아래층에 같이 일하는 애들 집으로 가. 그리고 내일 거기로 와."

한상원이 내민 가방의 싸늘하고 묵직한 촉감에 유미의 눈이 번쩍 뜨였다.

그건 종혁도 마찬가지였다.

"씨불?!"

그는 다급히 창문 밖을 봤다.

그리고 이마를 잡았다.

"이 개…… 아니, 잠복의 기본도 모르나?!"

왜 들켰나 싶었는데, 그럴 만한 이유가 있었다.

한상원이 동정을 감시하기 위해 먼저 보낸 인원을 알아차린 것이다.

감시를 할 때 목표물 근처에 다가가지 말아야 한다는 점, 평소와 같은 풍경을 유지해야 한다는 점을 어긴 형사들의 행동에 짜증이 났다.

딴에는 잘해 보려고 한 것일 테지만.

"이러니 그렇게 잘 도망쳤지!"

형사들의 잘못이 크지만, 난 놈은 난 놈이다 싶었다.

아직 공식 매뉴얼조차 없는 시기라지만, 변명의 여지는 없다.

종혁은 숨을 죽여 다음 말을 기다렸다.

"거, 거기라면 우리 동네 얼마 전 죽은 그 영감님 댁 맞죠? 137번지."

"오늘 오후 5시 30분까지 와."

전처럼 도시의 모든 출입구가 봉쇄됐을 터.

경계가 풀릴 때까지 숨죽여 있어야 했다.

"……흑!"

옷을 입은 그녀는 가방을 꼭 끌어안고 현관으로 향했다.

"꼭 연락해요."

"가."

그녀는 머뭇거리다 이내 현관을 나섰고, 바깥의 동정을 살핀 한상원은 다른 가방을 들고 화장대 앞에 섰다.

지익!

하얀 머리의 가발을 보는 한상원의 눈이 번들거렸다.

그리고 잠시 후.

딱! 딱!

한 손엔 가방을, 다른 손엔 지팡이를 짚은 노인이 맨션 입구를 빠져나왔다.

굽은 등, 털 고무신, 검은색 점퍼에서 나는 묘한 악취.

하얀 수염도 덥수룩한, 추레한 노인이었다.

슈퍼 안에서 의아해하는 여주인을 일견한 그는 붕어빵 장사를 하고 있는 사십대 중년인을 보았다.

그런 그의 옆으로 종혁이 지나쳤다.

"아저씨, 붕어빵 만 원어치요."

"어이구, 그렇게 나요?"

"제 덩치를 보세요. 음? 안녕하세요?"

눈이 마주친 둘.

1초의 짧은 시간, 서로를 탐색하던 둘은 동시에 고개를 돌렸다.

한상원은 지팡이를 짚으며 골목을 따라 걸었다.

그의 등 뒤로 종혁의 말이 울렸다.

"쩝, 말이 없으신 분인가 보네. 그런데 아주머니는 어디 가시고 남편분이 나오셨어요?"

"감기에 걸려서요."

"아아. 일단 구워진 것부터 주세요. 어묵 국물이랑 먹게."

"예!"

한상원의 입가에 미소가 번지고, 따뜻한 붕어빵을 입에 문 종혁은 한상원의 굽은 등을 보며 허허롭게 웃었다.

'모르고 만났으면 깜빡 속았겠네.'

위화감이 거의 없다.

도청기가 아니었다면, 허망하게 놓쳤을 거다.

그래도 유미가 있지만, 그녀를 구속해 입을 열게 만들 때쯤이면 한상원은 이상함을 눈치채고 도망친 후일 터.

'잡을까?'

눈이 마주친 순간 분명 튈 준비를 마쳤던 한상원.

지금도 이쪽에 모든 신경을 기울이고 있는 게 훤히 보여 뒷덜미를 낚아채고 싶지만, 그러다 놓치면 골치 아파진다.

전국의 난다 긴다 하는 형사들에게서도 도망친 경이로운 주력과 담을 훌쩍훌쩍 뛰어넘는 운동신경.

지금 어설프게 잠복하고 있는 형사들이 오히려 검거에 방해가 될 거다.

종혁은 아쉬움을 접었다.

'좀 있다가 보자, 새끼야.'

"아, 잘 구웠네. 맛있네요."

"하하, 감사합니다."

따악! 딱!

지팡이 소리가 느릿하게 멀어졌다.

* * *

137번지. 일반적인 2층 주택의 쪽문을 열쇠로 열고 들어간 한상원은 흠칫 몸을 굳혔다.

그건 좁은 마당에 나와 있던 한 오십대 장년인도 마찬가지였다.

"누구?"

한상원은 말없이 지팡이로 2층을 가리켰다.

"아. 얼마 전 2층에 사글세 들어오셨다는 어르신이시군요. 말을 못 하신다고요?"

한상원은 고개를 끄덕였다.

그러곤 가방에서 필기구를 꺼내 끄적끄적 몇 글자를 적었다.

-서울 아둘 집에 가다 와서요. 혀님 안에 있쏘?

초등학생보다 악필인 글씨.

그러나 장년인의 낯빛이 흐려진다.

"아버지는…… 후. 잠시 먼 곳에 가셨어요. 그보다 동네가 어수선하니까 밖에 나오지 마세요. 한상원 그 새끼가 저기 맨션에 숨어 있대요. 경찰이 쫙 깔렸어요."

억지로 돌리는 화제에 고개를 끄덕인 한상원은 2층 문을 열고 들어갔다.

유미와 함께 살게 된 이후 오늘 같은 사태를 대비해 만든 안가.

가득 낀 먼지 냄새가 그의 콧속으로 훅 풍겨 왔지만, 그는 오히려 마음이 놓였다.

옷을 벗은 그는 화장실로 향했다.

쏴아아!

쏟아지는 물줄기에 절로 나오는 웃음.

"백날 찾아봐라. 내가 잡히나."

맨션 근처에 경찰들이 쫙 깔렸다고 하지 않나.

등잔 밑이 어둡다는 건 언제나 통하는 진리였다.

"멍청한 짭새들."

경찰을 비웃으며 씻은 그는 여유롭게 라면 물도 올리고 청소도 했다. 경계가 풀릴 때까지 앞으로 최소 일주일은 살아야 하는 곳이라 청소는 필수였다.

"음. 맛있는 냄새."

하지만 김치가 없는 게 아쉬웠다.

유미에게 김치를 사 오라고 해야겠다 생각하며 양은 냄비 뚜껑에 라면을 옮기던 그 순간이었다.

멈칫!

온몸을 엄습하는 싸늘한 공기.

부산스러운데, 조용하다.

냄비를 다시 덮은 그는 모든 창문에 쳐져 있는 커튼 중 하나를 살짝 열었다. 그리고 눈을 부릅떴다.

'어, 어떻게?'

뒷집 2층과 1층에 형사 수십 명이 숨죽인 채 이쪽을 보고 있다.

그 옆집에도 있다.

그는 다급히 좁은 골목 쪽으로 난 화장실 창문을 열었다.

“이거 너무…….”

“너무해도…… 야지. 어차피 독 안에 든 쥐새끼.”

알싸하게 올라오는 담배 냄새와 섬뜩한 말.

모든 커튼을 들어 본 그는 깨달았다.

어떻게 알게 된 건지는 둘째 문제.

도망칠 구멍이 없었다.

“……끝났나.”

지난 2년여간 숨어 지냈던 시간이 머릿속을 스쳐 지나갔다.

그러나 이대로 허망하게 끝낼 순 없었다.

자신은 한상원이었다.

대한민국의 밤을 무섭게 만든.

그는 부엌의 식칼을 꺼내 들었다.

“갈 때 가더라도 절대 혼자 가지 않아.”

그는 현관을 향해 발을 옮겼다.

그와 동시에.

우르르!

여러 사람이 올라오는 소리가 들렸다.

띵동! 띵동!

“상원아! 가자! 안에 있는 거 다 알아! ……기동대 앞에서!”

“제기랄.”

한상원은 다급히 물러섰다.

“부숴!”

쾅! 쾅! 꽝!

거칠게 열리는 현관문. 경찰들이 파도처럼 밀려 들어오는 걸 본 한상원은 식칼을 휘둘렀다.

"다 덤벼. 이 개새끼들아-!"

주춤.

시퍼런 칼날에 경찰들은 멈출 수밖에 없었다.

"하, 새끼."

담배를 문 김종두 반장은 옆에 놓인 쓰레기통을 들어 던졌다.

퍼억!

"윽!"

"지금이야, 덮쳐!"

우르르르르! 쿠당탕!

"으아아악! 놔! 놔아-!"

칼을 쥔 손과 온몸을 누르는 경찰들.

그 밑에 깔린 한상원은 짐승처럼 울었다.

* * *

"한상원이다!"

밖에 모여 있던 기자들이 외치며 카메라를 들이밀고, 경찰들은 비키라며 손을 저었다.

촤라라라!

셔터가 울리고, 기자들이 온갖 질문을 쏟아 냈다.

그에 무려 여덟 명의 형사들에게 들려 질질 끌리는 한상원은 고개를 들어 무심히 그들을 쳐다봤고, 그걸 지켜보던 사람들은 '와아!' 하고 양손을 들어 환호했다.

드디어 대한민국의 밤을 무섭게 했던 한상원이 검거 된 것이다.

"어이구, 총각이 복덩이네, 복덩이야! 저 흉악범이 우리 동네에 숨어 있는지도 몰랐지만, 어떻게 총각이 오자마자 잡혀?!"

"하하. 우연인 거죠. 그래도 잡혔으니까 다행이네요."

"그럼! 그럼!"

종혁은 순간 눈이 마주치자 이를 가는 한상원을 향해 주먹 감자를 날렸다.

"좃까, 새끼야."

움찔!

놀리는 듯한 미소 속에 후련함이 있다.

마치 주위 형사들처럼.

'서, 설마 저놈이?'

어떻게 자신을 찾았는지 모르지만, 느낌이 왔다.

저놈이다. 저놈이 신고를 했다.

뚝.

머릿속의 이성이 끊겨 버렸다.

"으아아악! 죽여 버린다! 죽여 버리겠어!"

"갑자기 왜 이래?! 눌러!"

"으아아아악!"

'그럼 안녕히 잘 가시고.'

도주의 달인인 한상원도 이제 옛말이 될 터였다.

손을 흔들어 인사한 종혁은 경찰들이 막고 있는데도 화들짝 놀라 물러서는 주민들 사이를 빠져나가 한상원을 보며 눈물을 그렁거리는 한 여성, 유미의 등 뒤에 섰다.

"당신을 이용만 한 저런 범죄자는 잊는 게 좋을 겁니다."

흠칫!

"너! ……무, 무슨 말을 하는지 모르겠네."

"속초 최 모 양, 대전 김 모 마담……."

종혁은 한상원이 일기에 적어 놓은 여성의 성들을 빠르게 말했다.

"그리고 모르죠? 이 동네에 오기 전에 만난 여자와 아기를 가졌는데, 낙태시킨 거?"

"무슨! 거짓말하지 마!"

"내가요? 왜요? 무슨 영양가가 있어서? 한상원이 맡긴 그 영치금? 그거 천만 원은 돼요?"

종혁은 손목을 걷어 롤렉스를 보였다.

유미의 눈이 파르르 떨렸다.

"저, 정말이야?"

"그건 나중에 저 새끼가 쓸 옥중일기 보고 믿으시고."

너무 확신하는 모습에 그녀는 흔들렸다.

종혁은 쐐기를 박았다.

"그거 영치금입니다. 범죄자 새끼들이 교도소 안에서

음식 사 먹을 돈. 어차피 교도소 밖으로 못 나올 걸 자기도 아니까 장물 판 돈을 맡긴 거예요. 그거 아가씨 위해 쓰라고 했어요?"

"……아니."

그녀의 눈 속에서 여러 감정이 복잡하게 섞인다.

"그랬겠죠. 혹여 들고 나르면 안에서 콩밥만 먹어야 하거든. 못 믿겠으면 전 여자들을 만나게 해 줄 수 있어요. 서로 만나서 '아니야, 한상원이는 날 제일 사랑한다고 했어.' 하면서 머리끄덩이 잡고 싸우면 볼만하겠다, 그죠?"

"……정말이구나. 정말로 날……."

"이용한 겁니다. 당신은 바보처럼 당한 거고. 제비에게 꺾인 노류장화처럼."

"하지만!"

"범죄자는 무슨 변명을 해도 범죄자예요. 의적? 노가다 판에서 힘들게 벽돌 나르는 사람은 죄다 병신입니까?"

이렇게 말하는데 어떻게 믿지 않을까.

주르륵, 그녀의 눈에서 눈물이 흘렀다.

"자, 그럼 이제 이해한 것 같으니……."

트드득!

그녀의 양 손목이 어떤 줄에 의해 하나로 모였다.

"으응? 이, 이거 뭐야?"

"뭐긴 뭐야. 범죄자를 은닉한 사람 도망 못 치게 만드는 케이블 타이지."

한상원이 꼬드겨서 숨겨 줬다?

개소리이다. 다 알고 숨겨 준 순간, 유미도 범죄자이다.

다시 한번 잡아당겨 손목을 묶은 종혁은 막 울리기 시작한 휴대전화를 들었다.

-어디냐. 이 사랑스러운 놈아-!

종혁 덕분에 한상원의 위치를 파악했는데, 이쪽의 실수로 놓칠 뻔했다가 다시 종혁의 도움을 받아 검거했다.

심장이 멈췄다 다시 뛰었다.

무조건 2계급 특진, 본청 영전이었다.

"그러는 반장님은요? 지금 한상원 숨겨 준 여자 잡았는데."

-……거기 딱 기다리고 있어! 이 보물아-!

실실 웃은 종혁은 이제야 상황을 깨닫고 도망치려는 유미의 머리를 한 손으로 잡아챘다.

목이 꺾인 그녀는 허공에 붕 떴다가 떨어졌다.

"아악! 놔! 놔아악-! 꺄아아악!"

2장. 명예 경찰? 명예 수사관?

명예 경찰? 명예 수사관?

짝짝짝짝짝!

서울 경찰청, 일명 본청의 경찰청장실.

어깨에 무궁화를 두 개 이상씩 단 경찰 제복을 입은 장년인들이 우레와 같은 박수로 맞이한다.

"으하하하핫! 어서 와요! 어서 와!"

종혁은 속으로 혀를 내둘렀다.

형사 시절에도 보기 힘들었던, 어쩌다 본다고 해도 언제나 찌푸려 있던 경찰청장과 본청 고위 간부의 얼굴들이 활짝 펴 있다.

그만큼 한상원이 골칫거리였단 소리다.

"충-성-!"

같이 들어온 김종두 반장과 서장이 우렁차게 경례를 하자, 경찰청장의 입이 주욱 찢어졌다.

경찰청장은 둘을 끌어안고서 격하게 등을 두드렸다.
“오, 박 서장! 김 반장! 우리 경찰의 면을 세운 주역들! 인터뷰 준비는 잘하고 있나?”
한상원은 좀 느리게 이송 중이었다.
한상원이 도착함과 동시에 인터뷰를 해야 되는데, 그때 실수를 하지 않으려면 먼저 체포 과정에 대해 들어야 했기 때문이다.
“예! 걱정하지 않으셔도 됩니다!”
“여기 자료입니다.”
받아 든 자료를 내려놓은 청장은 종혁의 손을 잡았다.
“고맙습니다, 최종혁 선수. 덕분에 그 빌어먹을 놈을 잡을 수 있었습니다!”
“아닙니다. 불철주야 대한민국의 치안을 위해 고생하신 경찰분들께서 포기하시지 않은 덕분에 잡은 거라고 봅니다. 계속해서 쫓는 게 전파를 타지 않았다면 저도 관심을 가지지 않았을 겁니다.”
김종두 반장, 청장, 이 자리에 모인 경찰들의 입이 미소를 그렸다.
“어쩜 말도 이렇게 예쁘게 하는지. 아, 이리로 앉아요. 앉아.”
옆자리에 앉힌 경찰청장은 종혁의 손을 끌어당겨 쓸어내렸다.
“인터뷰는 거절했다고 들었어요.”
“경찰에 먼저 말하는 게 절차라고 생각했을 뿐입니다.”

그러며 종혁은 청장에게 처리하라는 듯 한상원과 유미를 찍은 필름을 내밀었다. 기자들에게 던져 주고 폼을 낼 수 있는 좋은 먹잇감이다.

“어이구. 허허허.”

예쁜 말만 해도 좋은데, 예쁜 행동까지 한다.

“한상원 그놈을 어떻게 발견했는지 들을 수 있을까요?”

모두의 시선이 모였다.

그들도 정말 궁금하던 참이었다.

기회. 종혁은 목을 가다듬었다.

“큼. 저도 이제 고 3이다 보니 진학을 생각하지 않을 수가 없어서…….”

그렇게 시작된 변명 아닌 변명에 모두 혀를 내둘렀다.

“허어. 어떻게 이런 우연이.”

“그러니까요. 저도 한 일주일 정도 머물다 다른 곳으로 가려고 했을 뿐인데…….”

우연에 우연이 겹친 산물.

그중 백미는 노인으로 분장한 한상원이 뭔가 이상해 멀찍이서 뒤쫓았다는 부분이었다.

종혁은 도청기를 숨기기 위해 그렇게 알리바이를 꾸몄다.

형사조차 알아차리지 못한 변장을 알아차렸단 것에 청장은 이상함을 느꼈지만 그보다 먼저 할 말이 있었다.

그는 종혁의 손을 꽉 잡았다.

"고마워요, 고마워. 정말 덕분에……."

제보를 받아 갔는데, 놓칠 뻔했다.

정말 놓쳤다면 얼마 전 청장이 된 그의 목도 무사하지 못했을 거다. 종혁은 청장과 여기에 모인 간부들의 목숨을 붙인 은인이었다.

"아닙니다. 솔직히 여기 김종두 반장님께서 떡볶이집에서 분을 참는 모습을 보이지 않았다면, 그래서 신경이 예민하지 않았다면 알아차리지 못했을 겁니다."

경찰청장은 그랬냐는 듯 김종두 반장을 봤고, 그는 종혁의 말에 울컥 차오르는 눈물을 겨우 참았다.

'아이고, 이놈아!'

"으허헛, 그랬어요?"

경찰청장은 김종두 반장을 봤다.

"이제 본청에 들어와야지, 김 반장?"

"마, 맡겨만 주시면 열심히 하겠습니다!"

찔끔, 눈물 한 방울이 흘렀다. 종혁은 정말 보물 그 자체였다.

종혁은 그런 반장을 보며 고개를 끄덕였다.

'됐어. 이제 반장님도 자유롭게 움직이겠네.'

앞으로 그의 행보에 무척이나 필요한 일이었다.

그렇게 훈훈한 분위기가 연출되던 와중, 경찰청장이 의문을 드러냈다.

"그런데 체대로 진학하지 않는 겁니까?"

종혁의 눈이 빛났다.

"경찰대나 법대를 생각하고 있습니다."

"경찰대!"

"아버지가 경찰이셨던 터라 저도 범죄자를 잡아 대한민국을 안전하게 만들고 싶거든요. 아, 그러고 보니 경찰대에 진학하면 선배님이시네요. 다시 인사드리겠습니다, 선배님. 최종혁입니다."

눈이 동그래진 청장과 고위 간부들은 서로를 보았다.

그리고 웃음을 터트렸다.

"그래. 경찰대면 후배지. 아암! 아니, 최 선수가 이렇게 훌륭한 생각을 하는 청년이었다니!"

흡족하게 고개를 주억이던 경찰청장은 잠시 생각에 잠겼다.

'국민 영웅 금메달리스트에 한상원뿐만 아니라 숨겨 준 애인까지 잡은 제보자…… 꼼꼼하군.'

거기다 청장 본인을 살려 준 은인이다.

전임 청장이 그랬던 것처럼 올해 안에 한상원이 잡히지 않았다면 그 역시도 목을 부지하지 못했을 거다.

생각을 마친 경찰청장은 종혁을 보며 눈을 빛냈다.

"최 선수, 특채로 경찰에 들어올 생각 있습니까?"

"헛!"

"으음."

사람들은 놀랐지만, 이내 충분히 그럴 만하다 고개를 주억이며 기대감 가득 종혁을 보았다.

그러나 종혁은 심드렁했다.

분명 생각지도 못한 기회지만.

"그거 혹시 순경입니까? 그렇다면 거부하겠습니다."

높은 자리를 노리는 종혁으로선 당연한 거부였지만, 그걸 모르는 모든 사람들은 눈을 부릅떴다.

'또다시 순경으로 시작할까 보냐.'

회귀 전 경정이 되는 데 인생의 대부분을 바쳤다.

그러고도 위에서 압박이 내려와 놈들을 제대로 쫓지 못했다.

그렇기에 이번 생, 경찰이 된다면 무조건 간부인 경위부터다.

종혁은 무척이나 진지했다.

* * *

주차장으로 향하는 비상계단.

정문에 가득 깔린 기자들을 피해 몰래 본청을 빠져나가 한상원 이송 팀과 합류해야 되는 김종두 반장이 가슴을 친다.

"아이구, 이놈아! 그 좋은 기회를!"

종혁은 코웃음을 쳤다.

"특채라고 해 봤자 순경이잖아요."

역시나 경찰청장이 제시한 건 순경 특채였다.

간부 특채는 제아무리 경찰청장이라도 거의 불가능한 일이었다.

그래서 뿌리쳤다.

"끙. 그래도……."

"그래도가 아니죠."

제아무리 한상원을 잡는 데 혁혁한 공을 올려 특채가 됐다고 하더라도 순경은 순경이다. 기적이 일어나 10년 만에 경위를 단다고 해도 경찰대 출신 엘리트 간부들, 그들만의 리그에 낄 수 없다.

"그리고 못 보셨어요? 제 결정에 청장님이 더 좋아하시는 거?"

"그야……."

종혁 같은 스타 선수가 경찰 간부를 꿈꾸는데 싫어할 간부가 어디 있을까. 더욱이 종혁은 경찰의 위신을 세우는 데 혁혁한 공을 세우기까지 했다.

"후, 네가 얼른 경찰이 돼서 함께 범인을 잡았으면 했는데."

본청으로 영전되면 여러 수사팀 중 하나를 맡을 김종두 반장.

종혁이 순경이라도 충분히 콜업할 수 있는 힘이 생긴다.

그걸 기대했던 그로서는 종혁의 결정이 아쉬울 뿐이었다.

"죄송하지만 그래도 순경은 아니에요."

"끄응."

맞는 말이라서 반박할 수 없었다.

"그래, 됐다. 평양 감사도 하기 싫으면 그만이지. 그런데 그건 그렇다 쳐도 인터뷰는 왜 하지 않으려는 거야?"

종혁은 익명의 제보자로 남기로 하며, 공의 대부분을 경찰에게 넘겼다.

"너무 유명해져서요."

이번에도 느꼈지만, 역시 움직이려면 얼굴이 알려지지 않는 게 좋았다. 그렇다고 얻는 게 없는 것도 아니다.

경찰 최고위 간부들에게 눈도장을 좋게 찍었고, 현상금도 받는다. 경찰대 진학한 후 형사가 된다고 해도 다른 동기들과 다른 승진 가도를 달릴 게 분명했다.

"여기서 더 유명해지면 귀찮아질 것 같아서요. 반장님도 그때 들으셨잖아요, 저 팬클럽 있는 거."

"……사생? 미쳤냐?"

사생팬. 요사이 경찰의 골머리를 썩게 만드는 골칫덩어리이다.

"흐흐흐."

"너도 참……."

김종두 반장은 고개를 저었다.

어디까지가 진실인지 모르지만, 종혁의 뜻이 그렇다니 왈가왈부할 수 없었다.

"대신 회식에는 참가할 거지?"

"소고기 사시는 거죠?"

"네 덕분에 본청에 오는데 소고기가 문제겠어? 이 삼촌 그렇게 양심 없는 놈 아니다. 아무튼 조심히 잘 가고, 회식 때 보자."

"옙! 수고하세요!"

김종두 반장이 조심히 계단을 빠져나가자 종혁은 한숨을 쉬며 위를 보았다.

"이제 그만 나오시죠?"

움찔!

계단 위에서 느껴지는 인기척.

종혁은 머뭇거리는 기색에 미간을 좁혔다.

'바쁜데, 진짜.'

지금부터 해야 될 일이 있다.

한상원이 도착하지 않은 지금 빠르게 해치워야 했다.

종혁은 최후 통첩을 날렸다.

"내가 갈까요, 내려올래요? ……에이. 됐습니다. 거기 계세요."

화들짝!

"내려갈게! 내려가!"

종혁은 슬그머니 모습을 드러내는 중년인을 보고 눈을 동그랗게 떴다. 목에 카메라를 들고 있는 그.

"박 기자님?"

학교 폭력 사건 때부터 인연이 깊은 박영일 사회부 기자였다.

* * *

본청 근처 카페에 앉은 종혁은 침을 꼴깍 삼키며 기자 수첩과 녹음기를 꺼내 드는 박영일을 보며 고개를 끄덕였다.

'잘됐네.'

한상원이 도착하기 전에 해치워야 할 일.

바로 안면 있는 기자들과의 인터뷰였다.

'당시에는 한상원은 검거됐지만, 경찰의 위신은 똥통에 처박혔지.'

97만여 명이 동원됐는데도 경찰이 자력으로 잡은 게 아니라 목격자의 진술로 인해 검거했다.

언론은 당연하다는 듯 경찰의 무능을 물어뜯었고, 이후 경찰 내부에서 한상원은 금기어가 되어 버렸다.

'이번에도 그렇게 되도록 놔둘 수는 없어.'

회귀 전, 소수의 비리와 무능으로 인해 위신과 인권이 땅바닥에 처박힌 경찰.

일생을 바친 조직이 이번에도 물어뜯기는 꼴을 볼 순 없었다.

'또 놈들을 원활히 잡기 위해선 경찰이 마음 놓고 활동할 수 있어야 해. 열정적으로. 자부심으로 무장해서.'

그러기 위해, 경찰의 이미지 향상을 위해 여론의 힘을 빌리고자 했다.

"안 그래도 전화드리려고 했는데, 잘됐네요."

"그랬어?! 아깐 인터뷰 안 한다며?!"

"그건 경찰청장님도 나오는 공식 브리핑 인터뷰를 말하는 거고요. 익명이 보장되는 인터뷰는 하려고 했어요."

"허어."

박영일 기자는 입맛을 다셨다.

'난 왜 그 고생을 했던 거야?'

기사 한 자락이라도 더 쓰기 위해 청장실 근처에 잠복했던 그.

종혁과 김종두 반장이 함께 청장실에 들어가는 걸 보고 얼마나 놀랐던가. 이후 청장실에서 나온 둘의 대화에 박영일은 뒤로 넘어가는 줄 알았다.

입 밖으로 튀어나오려는 비명을 초인적인 인내로 참아야 했고, 한 마디라도 더 듣기 위해 차디찬 계단에 누워야 했다.

"쩝. 그나저나 밤을 무서워하던 국민들을 구원해 준 게 최 선수일 줄은 몰랐네. 어떻게 된 일이야? 아, 이거 단독 맞지?"

"음. 믿을 만한 기자님들에게도 알린다면 그렇게 할게요."

"예스!"

최초로 목격자 진술을 다룬다.

그의 몸이 후끈 달았다.

"말해 봐. 얼른."

박영일은 얼른 녹음기를 켰고, 종혁은 각색한 이야기를 들려줬다. 그러자 박영일 기자는 경찰청장과 똑같은 반응을 보였다.

"휘유. 이건 뭐 최 선수가 다 했구먼?"

그는 '그럼 그렇지.' 하고 실망하며 담배를 물었다.

'역시.'

예상했던 반응이다.

이래서 그를 부르려 했던 거다.

종혁은 단호하게 고개를 저었다.

"경찰이 포기하지 않고, 물밑에서 계속 움직여 준 덕분에 저도 한상원을 발견할 수 있었던 거예요. 한상원 사진을 언제나 안주머니에 넣고 다니시던 그분들의 노력을 폄하하면 곤란하죠."

박영일 기자가 미간을 좁혔다.

"청장님이 시켰어?"

종혁은 코웃음을 쳤다.

"제가 시킨다고 할 사람으로 보여요?"

"그건……."

안 그럴 사람이란 걸 알지만, 하필이면 종혁이 경찰대도 지망하고 있다.

"졸업하자마자 특채로 받아 준다는 걸 뿌리치고 나왔는데 무슨."

"아, 그렇지 참!"

"간부에 준하도록 승진 철로를 깔아 준다고도 했지만 거부했죠."

"……경찰이 뭔 일이래?"

대한민국에서 가장 경직된 조직 문화를 가진 곳이 경찰과 검찰이다. 아직도 선배들의 양말과 속옷 빨래를 해야 되는 경찰.

파격이라고 할 수 있었다.

"이번 사건으로 깨달은 게 많은 거죠. 음, 그리고……."

"그리고?"

"아니에요. 이건 곧 있을 인터뷰에서 듣는 게 낫겠다."

"아, 뭔데. 최 선수, 이러기야?"

엉덩이를 들썩인 박영일은 의뭉스레 웃는 종혁의 모습에 방금 전 대화를 떠올렸다.

"하여튼 김종두 반장님 참 좋아해. 오케이. 이번 검거가 경찰의 수사력 때문이라고 확실하게 써 준다. 됐지?"

"다른 기자님들에게도 그렇게 말해 주시고, CCTV를 더 설치해야겠다는 발언만 해 주신다면요."

"CCTV?"

"CCTV만 제대로 설치됐어도 한상원이 이렇게 도주 행각을 계속 이어 갈 수 있었을까요?"

박영일 기자는 바로 결론을 냈다.

아니다. 절대 아니었다.

"굳이 한상원이 아니라도 CCTV가 있으면 범죄를 예방하고, 범죄자를 잡는 데 좋지 않을까요?"

이 시기, 아직 CCTV에 대한 호응이 크지 않을 때이다. 군부 독재가 끝난 지 이제 겨우 10년. CCTV가 사생활을 감시한다며, 국민들이 예민하게 받아들이기 때문이다.

"확실히……."

박영일은 종혁의 식견에 감탄했다.

'정말로 경찰이나 법조계에 가려나 보네.'

생각이 아주 기특했다.

“흐음. 평소라면 씨알도 먹히지 않을 테지만, 한상원이 있으니까…… 오케이, 콜!”

‘됐으!’

종혁의 입은 바로 열렸다.

“한상원 때문에 생긴 간부 TO를 실력과 인성을 철저하게 따져서 채운대요.”

박영일의 눈이 동그랗게 떠졌다.

“뭐? 진짜?! 청장님이 그렇게 말했어?”

아니다. 이건 종혁이 꾸며 낸 거다.

“부청장님과 인사부장님에게 그렇게 말하시더라고요. 제가 이해하긴 어려운 이야기라 생각하셨나 봐요.”

‘경찰이 잘되기 위해선 경찰도 인맥 위주의 승진 문화를 버려야 해.’

“신기하네.”

하지만 좋은 정보이다. 아니, 특종에 버금가는 정보이다. 경찰 조직의 변모, 아니, 개혁에 가까운 일에 대해 가장 먼저 쓴다? 사회부 기자로서 결코 놓칠 수 없는 일이었다.

‘아니, 곧 있을 인터뷰에서 말한다고 했으니 내가 먼저 질문해야 돼!’

그래야 주도권을 잡아 그 속내까지 모두 끄집어낼 수 있다.

종혁은 엉덩이를 들썩이는 그를 보며 씩 웃었다.

“가 보세요.”

“사랑해, 최 선수!”

박영일은 부리나케 카페를 빠져나갔고, 종혁은 미지근해지는 커피를 입에 가져갔다.

“경찰도 자정작용을 할 때가 됐지.”

마침 고위 간부의 목들을 날려 버린 한상원도 검거 됐다. 안일해질 게 분명한데, 그 생각에 철퇴를 날려야 했다.

“이건 언론사들도 도와줘야…… 아.”

문득 떠오른 게 있는 종혁은 얼른 휴대전화를 들었다.

“예, 태규 씨. 국내에 넥스트와 에이버란 사이트가 있을 겁니다. 그 내부 사정에 대해 조사해 주세요.”

‘미래의 대표 언론은 에이버와 넥스트지.’

이 두 곳을 쥔 사람이 대한민국의 시류를 장악한다.

종혁의 눈이 강렬하게 빛났다.

* * *

“에이버? 넥스트?”

사이트면 닷컴이다.

“설마 국내 닷컴에도 투자를 하려는 건가?”

‘왜?’라는 의문이 그의 머릿속에 떠올랐다.

권&박 홀딩스의 자금조차 감당하기 힘든 한국 닷컴 시장.

먹을거리가 못 된다.

간에 기별조차 안 갈게 분명해서 관심을 꺼 버렸었다.

그런데.

책상을 검지로 툭툭 두드리던 그는 키보드를 두드렸다.

그리고 이내 그는 고개를 모로 기울였다.

"어라?"

의아해한 그는 그 순간부터 모든 자료를 찾아보기 시작했다.

그렇게 두 시간이 흐른 후, 그는 헛웃음을 터트렸다.

"이것 봐라?"

안경 속 그의 눈초리가 하늘로 솟았다.

미국 닷컴 열풍에 휩쓸려 거품이 끼고 있다.

미국처럼 끝에 닷컴만 붙어도 고공행진이다.

그 규모가 심상치 않다.

그는 다시 한번 책상을 검지로 두드렸다.

"IMF로 쪼그라든 주머니 사정, 가망 없는 경제, 망해버린 은행과 종금사……."

한탕주의가 조성되기에 딱 좋은 환경이다.

한번 거래하는 데 수천만 원이 드는 부동산과 달리, 몇만 원이면 할 수 있는 주식. 반면 한 번 터지면 그 수십 배는 한 번에 버는 주식.

오싹.

박태규의 정수리 털이 솟았다.

"투기다. 권 PB가 말한 것처럼 한국도 미국처럼 전 국민이 투기를 하려는 거야!"

이런 거라면 이야기가 다르다.

그는 얼른 전화기를 들었고, 곧 권아영이 그의 사무실 문을 박차고 들어왔다.

"그게 무슨 말이에요?! 한국도 닷컴 버블이 생기는 중이라니!"

박태규는 대답 대신 조사한 자료를 보여 줬고, 권아영은 얼굴을 와락 구겼다.

"이런 미친!"

어디서 많이 본 흐름이다.

미국에서 일어나는 닷컴 버블의 초반 흐름.

"동감입니다."

권아영은 이걸 알아차린 박태규를 멍하니 바라봤다.

"대체 이걸 어떻게?"

자료를 보면 이제 막 버블이 끼는 단계이다.

미래 예상 규모가 심상치 않다고 해도 전조가 없다시피 했는데, 그걸 알아차렸다.

"보스가 조사하라더군요."

"보스가요?"

박태규는 에이버와 넥스트 두 단어가 적힌 쪽지를 내밀었다.

"조사해 보니 검색 사이트더군요. 둘 모두 현재 자금난에 허덕이고 있고요."

"검색 사이트? 아, YAHOO요?"

"그렇죠. 대충 이렇습니다."

박태규는 두 사이트에 접속해 최종혁 세 글자를 쳐서 보여 줬고, 그 화면 속 검색 결과를 보며 의아해하던 권아영은 곧 눈을 부릅떴다.

"서, 설마?!"

그녀는 다급히 박태규를 봤다.

"국산 검색 사이트는 저 두 개가 전부인가요?"

"예, 뭐. 몇 개 더 있지만, 완성도만 놓고 보면 이 두 개가 다라고 볼 수 있습니다."

권아영의 몸이 부르르 떨렸다.

"한국 닷컴 버블의 예상 규모는요?"

"……미국만큼은 아니라도 미쳐 날뛸 겁니다. 아마 대한민국 증시 역사상 최고최악의 판이 깔릴 게 분명합니다."

미국 닷컴 버블의 영향으로 생성되는 버블이다.

누가 빨리빨리를 좋아하는 민족 아니랄까 봐, 한번 거품이 끼기 시작하니 무섭도록 부풀어 오르고 있다.

그 기세가 미국보다 몇 배 더 빠르다.

"작전 세력들도 준동하고 있는 것 같으니까요."

"여, 역시."

후들, 다리가 풀린 그녀는 주저앉았다.

"그래, 그런 거였어! 그러니 이제야 보스가 국내 닷컴 버블에 대해 언급한 거라고! 이제야 견적이 나오기 시작하니까!"

또 혼자만 안다며 입술을 삐죽이던 그는 견적이라는 말에 눈을 껌뻑였다. 그 순간 머릿속이 간질거리더니 말도 안 되는 생각이 떠오르기 시작했다.

"권 PB. 지금 내 머릿속에 이상한 게 떠오르는데……."

"그게 맞을 거예요. 보스는 지금 대한민국 모든 정보의 흐름을 손에 쥐려는 거예요! 정확히는……!"

콰앙!

권아영이 에이버와 넥스트가 적힌 쪽지를 내려쳤다.

"검색 사이트는 이 두 곳만 남기려는 거라고요!"

권아영은 거의 근접하게 유추했다.

"미친?!"

방금 한 예상을 훨씬 뛰어넘는 대답.

"이게 고작 열아홉 살짜리가 할 수 있는 생각입니까!"

"그럼 IMF, 미국 닷컴 버블을 예측한 건 말이 되고요? 러시아 모라토리엄은 러시아 최고위층에서 정보를 받았기에 무효라고 쳐도요."

"……."

침묵하는 그를 보며 냉소를 짓던 권아영은 이내 입술을 깨물었다.

"안 되겠어. 부동산은 나중에 매입해야겠어."

"……와르르 무너질 테니까?"

2001년 미국 닷컴 버블이 꺼지는 순간 사라질 한국 닷컴 버블.

1997년 말 IMF 이후 고작 3년여 만에 한 번 더 처맞는 거다.

"정답. ……아니, 닷컴의 버블이 꺼진다고 해도 실물 경제엔 큰 영향을 끼치지는 않아. 그냥 한강으로 가는 인간들만 많아지는 거야. 그렇다면……."

권아영은 머리를 벅벅 긁었다.

그건 박태규도 마찬가지였다.

부동산은 부동산대로 매입하면서 한국 닷컴 버블에도 뛰어들어야 했다.

골치 아프게 됐다.

"……할 수 있겠어요?"

미국 닷컴 버블에 뛰어든 상황이기에 굉장히 힘든 일이다.

입술을 오물거리던 박태규는 이내 가슴을 폈다.

"날 뭘로 보는 겁니까? 내가 이 정도도 못할 거라고 봅니까?"

"알았어요. 믿을게요. 그리고 전력으로 서포트할게요."

"……믿겠습니다."

평소엔 티격태격 앙숙처럼 다투더라도 이런 위기 상황에선 누구보다 믿을 만한 서로의 존재.

둘은 딱딱하게 굳은 얼굴로 돌아섰다.

밖으로 나온 권아영은 휴대전화를 들었다.

"어, 나야. 증권맨들 뒷조사는 어떻게 됐어?"

가장 먼저 할 일은 박태규를 보조할 인력을 한시라도 빨리 수급하는 거였다.

*　*　*

특보, 한상원 검거!

CCTV의 부재가 한상원을 놓쳤다.

742일간의 도주의 끝. 도주의 神. 어떻게 잡히게 됐나.

결정적인 제보! 그 제보자는 누구?

제보자 운동선수 최 모 씨. 최 모 씨는 누구?

경찰, 실력 위주의 인선 배치! 이젠 믿어 달라.

한상원이 잡힌 소식은 전국을 떠들썩하게 만들었다.

긴급으로 생방송 뉴스가 나왔고, 석간신문임에도 가판대의 신문이 모두 동났다. 사람들은 잘됐다고, 경찰이 드디어 제 일을 했다고 박수를 쳤고, 이름을 밝히지 않은 최 모 씨의 정체에 대해 무척이나 궁금했다.

그건 석간신문을 사 온 강철선도 마찬가지였다.

"운동선수 최 모 씨,최 모 씨. 흐음…… 이거 혹시 최 선수 아이가?"

왠인지 그런 촉이 선 그는 수화기를 들었다.

"어, 최 선수. 내다. ……와 이리 시끄럽노?"

으하하, 푸하하, 귀가 아프도록 떠들썩하다.

–아, 죄송합니다. 이번에 한상원 검거한 반장님과…….

–삼촌, 인마! 너 계속 서운하게 이 삼촌을 반장이라고 부를 거야?

—하하. 예, 삼촌과 형사 삼촌들 회식 자리예요.

'김종두 반장?'

강철선의 엉덩이가 들썩였다.

'맞네!'

—그런데 무슨 일이세요?

밖으로 나온 듯 주위가 조용해졌지만, 머릿속이 복잡해진 강철선에겐 들리지 않았다.

"뭐꼬! 금마를 우째 발견한 기고?!"

—……?!

화들짝 놀랐던 종혁은 이내 자신의 실수를 인정했다.

한상원을 잡았다는 풀어진 마음에 단서를 흘리고 말았다.

갈등하던 종혁은 결국 털어놓았다.

'이거 잘하면……?'

음흉한 생각이 든 종혁은 모른 척 다른 정보도 흘렸다.

"뭐, 뭐? 특채?"

종혁의 발견과 미행에 혀를 내두르던 강철선이 흔들렸다.

—예, 특채를 제안하더라고요. 고등학교 졸업하면 들어오라고.

'미친……!'

"니, 니 설마 경찰 될 건 아니제? 그거 순경 특채 일끼라! 자바리 순경!"

—음, 저도 그건 아는데…….

"알았데이. 오늘은 바쁜 것 같으니까 나중에 통화하자. 글고 욕봤데이."

수화기를 내려놓은 그는 벌떡 일어섰다.

깨끗한 법조계를 만들려고 노력하는 종혁이 경찰이 된다?

재능 낭비다.

종혁은 무조건 검사가 되어야 한다.

그래야 강철선도 마음 든든하게 움직일 수 있다.

"내 인마랑 투탑으로 휘저어뿔라 했드마 순경이 무신 말이고!"

문을 박찬 그는 지검장실을 향해 뛰었다.

"계십니꺼!"

빼엉!

안에 있던 사람들이 그를 멍하니 보았다.

"뭐꼬. 박 프로, 김 선배는 이 늦은 시간에 여기 와 있습니꺼?"

둘뿐만이 아니다.

서울지방검찰청에서 난다 긴다 하는 검사들이 한자리에 모여 있다.

"하아. 너도 조르러 왔냐?"

말에 짙은 짜증이 섞인 지검장.

단숨에 상황을 파악한 강철선은 코웃음을 쳤다.

아마 한상원이 탈옥을 한 부산교도소가 있는 부산지검에서도 난리를 쳤을 거다.

하지만 서울지방검찰청 관할 내에 있는 경찰서에서 한상원을 검거했다. 중앙의 소관이었다.

“한상원 글마는 아무나 맡으소. 난 아니니까네.”

지검장과 검사들의 눈이 크게 뜨였다.

지검장의 얼굴도 스륵 풀렸다.

“그럼 뭔 일인데?”

“인재를 경찰에 뺏길 것 같아서 떼쓰러 왔습니더.”

“인재? 떼?”

“한상원 제보자! 유도 금메달리스트 최종혁! 법대 지망생!”

지검장과 검사들의 고개가 모로 기울어졌다.

“하따 마, 검사란 양반들이 이리 소식이 늦다. 잘 들으소. 한상원을 발견하고 미행해가 경찰 목구멍에 떠넘기기까지 한 제보자가 바로 갭니더. 근데 경찰 이 도동놈들이 낚아챈다 아입니까! 우리 검사가 되어야 할 놈을!”

검사들의 눈이 부릅뜨였다.

일단 경찰이 낚아챈다는 말에 관심이 가고, 금메달리스트의 법대 지망이란 말에 훅 당긴다.

변호사가 앙숙이라면, 경찰은 수사권이란 밥그릇을 호시탐탐 노리는 단체.

“최종혁이면 그 유도 스타 최종혁 선수?”

“예에!”

“……그래. 이제야 기억나네. IMF 한파가 닥쳤을 때 훌륭한 발언을 해서 당시 VIP 예정자, 현 VIP를 흡족하게 한 친구지?"

VIP. 그들의 눈이 가늘게 뜨였다.

"우리나라 1등 시킨 건 와 빼먹십니꺼? 사상 최초 아시안게임 1등 아입니꺼! 금마가 우리나라 음식 베풀지 않았으면 1등 했겠십니꺼?"

종혁의 베풂으로 인해 성적이 좋아진 나라와도 국제 관계가 좋아졌다.

"그래. 맞아. 그것도 있지. 그런데……."

지검장의 고개가 삐딱하게 기울어졌다.

"그런 인재를, 우리 검사에 딱 맞는 인재를 경찰이 낚아채려 한다고? 가만 놔두면 한국대 법대 가고, 연수원 가서 우리 후배가 될 인재를?"

"내 말이요!"

"……하. 경찰 이 새끼들. 또 상도의 안 지키네. 뭘로?"

"특채요! 순경!"

"풋. 역시 경찰이라 속 좁은 거 봐라. 나라면 간부 특채로 딱!"

그렇게 외쳤지만 불가능한 일이란 건 그도 안다.

단 한 번도 없던 일.

"법대 지망생 맞아?"

"몰래카메라 찍은 후에 다 떠봤다 아입니까!"

"오케이. 일단 명예 수사관부터 위촉시키고, 방학 때 사무관 인턴도 시켜. 잘할 수 있겠어?"

"크, 역시! 존경합니다."

엄지를 치켜들며 돌아서던 강철선은 검사들을 보며 코웃음을 쳤다.

"적당히들 하이소. 공판 한다 캐도 국민들 주목받을 것 같십니꺼? 그거 다 경찰에서 해 먹었심더. 그냥 와꾸 좋은 얼라 하나 보내이소. 우리 검찰은 한상원 따윈 신경도 안 썼다고. 어데 검사가 방뎅이 가볍게."

"……!"

쿵!

닫히는 문을 본 지검장은 옅게 웃었다.

'역시 저놈이 똘똘하단 말이야.'

가려운 곳을 참 잘 긁어 준다.

그는 검사들을 봤다.

"들었지?"

똥 씹은 얼굴이 된 검사들은 일어날 수밖에 없었다.

* * *

"검찰은 뭘 해 주려나."

범죄예방 홍보대사만 돼도 감지덕지이고, 검찰 홍보대사라면 대박이다. 그래서 일부러 체포 과정을 흘린 거다.

어쩌면 경찰에 독이 될 일.

"기회가 기회인지라 경찰이 수사권 독립을 외칠 수도 있지만…… 아니, 이번에도 그러겠지만."

회귀 전에도 경찰은 경찰이 수사권만 가지고 있었어도

한상원을 빨리 잡았을 거라고 언론 플레이를 했다. 그러다 반 박자 늦게 목격자의 존재가 드러나면서 그 말은 쏙 들어갔다.

종혁은 이번에도 그렇게 하기로 했다.

"아직 수사권은 일러."

아직도 경찰의 수사 방식은 주먹구구식이고, 조직 문화는 스마트하지 않고, 프로페셔널하지도 않다. 암적인 존재들도 다수 있고, 경찰대 출신 고위 간부들도 모두 엘리트는 아니다.

60년대에서 80년대 인맥으로 경찰대에 간 이들이 많았다.

일선 파출소 경찰들은 말할 것도 없다.

경찰은 아직 책임을 질 준비가 되어 있지 않았다.

"그러니 이번엔 이 정도로 만족합시다."

그래도 쓰린 속을 달랜 종혁은 소고기집을 보고 피식 웃었다.

김종두와 강력 3반 형사들이 어깨동무를 한 채 노래를 부르고 있다.

전국을 떠들썩하게 만든 한상원이 잡혀서 그런지 진급 조치는 번갯불에 콩 볶아 먹듯 빠르게 이뤄졌다.

김종두 반장을 비롯한 강력 3반 전원 본청으로.

"다만 광수대나 마약계 TO나 고위직 TO가 꽉 찼다는 건데."

그에 경찰청장은 통 크게도 아예 새로운 부서를 신설해

버렸다.

특수범죄수사과. 일명 특수.

모든 강력 사건과 미제 사건을 기본으로 수사에 성역과 거리 상관없이 전국을 누비며 지방경찰청에서 수사 지원 받을 수 있는 막대한 권한을 가지는 부서였다.

"특수라."

종혁은 찝찝했다.

훗날에도 장기 미제 사건을 담당하는 부서인 특수범죄수사과가 생기는데, 장기 미제가 왜 장기 미제겠는가.

해결하는 사건이 거의 없다 보니 처음 발족한 의미와 달리 유배지가 되어 버린다.

"으헝헝! 내가 과장을! 과장을!"

종혁은 대성통곡하는 서울경찰청 특수범죄수사과 과장이 된 김종두를 보며 피식 웃었다.

소속 부서라곤 특수범죄수사대 하나가 전부지만, 본청 과장이다.

계장도 아닌 과장. 본청에도 몇 명 없는 과장이다.

그의 형사 생활 27년 만에 드리워진 빛이었다.

그뿐만 아니라 다른 형사들도 눈시울이 붉다.

"……그래. 내가 똥꼬쇼 좀 하면 되지."

의도대로 됐으니 조금 더 열심히 움직일 생각이었다.

그리고 그러기 위해선 준비할 게 있었다.

해외로 빠져나간 국내 기술들과 인재들.

생각을 정리한 종혁은 소고기집의 문을 열고 들어갔다.

"으헉! 내 보물! 우리 강력 3반의 보물……!"

불콰하게 달아오른 김종두 반장이 달려든다.

"으악!"

종혁은 입술을 들이미는 김종두를 밀어냈고, 웃음이 터졌다.

고개를 저은 종혁은 콜라가 담긴 잔을 들었다.

"자, 한 잔씩 하시죠! 특수범죄수사과를!"

"위하여!"

희망찬 내일을 바라는 술잔들이 허공에서 부딪쳤다.

* * *

지이잉! 지이잉!

이른 아침, 일찍 일어나 운동을 마치고 돌아온 종혁은 전화를 받았다.

-일찍 일어나셨네요, 보스?

"네. 좋은 아침입니다, 권 PB."

-일단 말하는 인형은 특허 접수해 놨어요. 늦어도 한 달 안에 결과가 나올 거예요.

종혁은 고개를 끄덕였다.

한때 전국에 열풍을 불러일으킨 알러뷰 인형.

각종 기념일, 커플, 고백에 필수 아이템이 된 인형.

통과만 된다면 꽤 쏠쏠한 용돈이 되어 줄 터였다.

'이걸로 인해 전국 봉제 인형 공장 목숨이 꽤 늘어났지.'

메이드 인 차이나의 저가 인형들이 한국에 풀리면서 죄다 폐업을 하게 되지만 말이다.

'하지만 이걸 제일 처음 만든 사람은…….'

김밥천국 이후 최대의 특허 및 저작권 분쟁.

당사자는 당연히 알고 있다.

'만나야지.'

-그리고…….

종혁은 이어지는 말에 깜짝 놀랐다.

"벌써요?"

-너무 많아서요.

많다는 그 말에 종혁은 마음이 무거워졌다.

"알겠습니다. 팩스로 보내 주세요."

-네! 그런데 서울은 언제 올라오실 거예요?

종혁은 회식 후 곧바로 내려왔다.

한상원 체포는 어머니 고정숙이 모르는 일이라서 당초 말한 대로 일주일, 아니, 그 이상 있다가 올라갈 생각이었다.

뉴스를 본 어머니가 운동선수 최 씨가 너 맞냐고 추궁해 왔지만, 종혁은 절대 아님을 어필해 겨우 안심시켰다.

"곧 올라갈 겁니다."

-기다릴게요!

그렇게 전화를 끊은 후.

"흠."

종혁은 창문 앞에 서서 며칠 전 천여 명에 가까운 경찰들이 깔렸지만, 지금은 조용해진 동네를 보았다.

이젠 볼일이 없어져서 그런지 아무리 봐도 감흥이 없는 풍경.

한상원이 어디로 도망칠까 동네 지리를 모두 외웠지만, 결국 도청기 하나로 모든 게 해결됐다.

이제 여기서 머무는 건 돈 낭비였다.

"……정말 여행이나 갈까?"

갈등을 하던 그는 이내 곧 돌아섰다.

찌직! 찌직!

종혁은 팩스가 뱉어 내는 서류를 살피다 눈을 빛냈다.

"당장 오늘이라도 가야……."

지이잉!

종혁은 의아해하며 전화를 받았다.

그리고 그 내용에 입맛을 다셨다.

"여행은 다음에 가야겠네."

그보다 더 급한 일이 생겼다.

* * *

전라북도 군산, 외각의 한적한 동네.

사십대 중반 남성이 고철과 파지를 잔뜩 실은 리어카 한 대를 끌고 있다. 절뚝이는 다리와 리어카에 달린 동물 인형 세 개가 인상적이다.

헉헉 구슬땀을 흘리던 그는 그걸 보며 흐뭇이 웃었다.

인형을 받고 좋아할 딸아이를 생각하니 절로 힘이 났다.

"정 씨, 이제 오나?"

"좋은 오후입니다, 어르신!"

동네 어귀, 평상에 앉아 있던 노인의 얼굴이 일그러진다.

"크흠. 정 씨, 미안한데 TV 좀 봐줄 수 있는가?"

"왜요? 무슨 일 있어요?"

"아침에 갑자기 지지직거리더니 계속 그 지랄이여."

"에고. 우리 어르신 오늘 하루 많이 심심하셨겠네. 알겠습니다. 저녁 먹고 들를게요."

"고마워."

"뭘요."

정 씨, 정인철은 리어카를 다시 끌기 시작했고, 노인은 그런 그를 보며 혀를 찼다.

"사람은 참 좋은데…… 그놈의 아이얌에프가 뭔지. 쯧쯧. 음?"

부르릉!

노인은 동네에 들어서는 중형 세단을 보며 고개를 모로 기울였다.

"처음 보는 찬디?"

그는 앞을 지나쳐 가는 엔터프라이즈를 뚫어져라 쳐다봤다.

한편 허름한 동네 안에서도 외진 곳에 위치한 집에 도착한 정인철은 석면 지붕이 올려진 허름한 집과 파지, 고철로 가득한 좁은 안마당을 보며 한숨을 내뱉었다.

"……이미 지나간 일. 신세 한탄해서 뭐 할까."

그는 집 안을 향해 귀를 기울였다.

후다닥!

"아빠!"

정인철의 입이 함지박만 하게 찢어졌다.

눈에 넣어도 아프지 않을 딸.

커다란 눈망울과 통통한 볼살이 오늘도 심장을 괴롭게 한다.

"오늘은 친구들이랑 뒷산에 안 갔나 보네?"

10살 쪼끄만 계집애가 뭐 그리 바쁜지 산이야 들이야 쀨뿔거리며 돌아다니는 걸 보면 웃음만 나온다.

"응! 가끔은 나도 쉬어야지. 그래야 애들도 나 귀한 걸 알아."

"푸핫! 그래?"

"히힛. 어? 인형이다."

살짝 실망하는 딸의 기색에 그의 안색이 흐려졌다.

그런 아빠의 마음을 알아차려서인지 딸은 얼른 인형으로 달려갔다.

"내가 씻길게!"

"그럴래?"

"응! 내 거니까!"

그는 더러운 인형 세 개를 마당 수돗가 대야에 물을 받아 담그는 딸을 보며 얼굴을 일그러트렸다.

좋은 옷만 입고, 좋은 음식만 먹고 자랐어야 할 딸.

못난 아비 때문에 고생하는 걸 보면 밥을 제대로 넘길 수 없다.

"후우."

파지와 고철을 모두 내려놓은 그는 마당 한구석 비닐하우스로 향했다. 2평이나 될 법한 작은 비닐하우스엔 그라인더나 인두 등 여러 기구들과 컴퓨터나 라디오, TV, 비디오 등 여러 전자 제품들이 있었다. 그의 보물 창고. 보기만 해도 배가 불렀다.

웃으며 의자에 앉은 그는 잠시 생각에 잠겼다.

방금 전 딸의 반응이 목에 걸린 가시처럼 느껴졌다.

"이젠 동물 인형을 졸업할 땐가? 하지만……."

그가 하루 버는 돈으로는 딸 또래의 아이들이 가장 좋아할 미미 인형이나 라라 인형 같은 공주 인형을 사 줄 수 없다. 버려진 걸 재활용하려고 해도 영 못쓸 수준. 그리고 아무리 급해도 사람처럼 생긴 인형은 줍는 게 아니었다.

"으음."

그는 생각에 잠겼다. 딸을 위해서인지 머리가 빠르게 돌아갔다.

"아, 차라리 인형에서 소리라도 나온다면……."

'그래, 이거다!' 하고 환하게 웃으며 기판을 쌓아 둔 박스에 손을 가져갈 때였다.

쾅쾅쾅!

"누구지?"

고개를 모로 기울인 그는 대문으로 향했다.

"누구…… 십니까."

문을 연 그는 그대로 굳어 버렸다.

이십대 후반이나 겨우 됐을 법한 단발머리 서울 미녀.

여성용 정장과 빨간 구두가 인상적이다.

그녀, 권아영은 명함을 내밀었다.

"반갑습니다. 권&박 홀딩스 재무이사 권아영이에요. 정인철 사장님 맞으시죠?"

한옥 양식을 따른 허름한 집, 거실에 앉은 권아영은 이쪽을 힐끔거리는 귀여운 여자아이를 등 뒤에 감춘 정인철을 보았다.

원래 직함은 CEO였지만, 종혁을 보스로 인정하며 자리에서 내려온 그녀.

현재 권&박 홀딩스는 대표 없이 두 사람이 이사로서 이끌어 가고 있고, 겉으로는 둘이 CEO로 인식되고 있었다.

"아. 발명가 정 씨? 못 고치는 게 없는 사람이제."

"아주 그냥 가제트 형사여."

"육백만 불의 사나이 아녀?"

동네에서 발명가 및 전파상으로 통하는 정인철.

기계공학과를 졸업해 3년 전까지 전주에서 제법 크게 봉제 인형 공장을 했다가 IMF 때 망해 버린 사업가다.

"지, 집안에 있는 게 없어서……."

물이 담긴 컵을 내밀며 안절부절못하는 그.

지독한 땀 냄새가 코를 괴롭힌다.

'보스는 이런 사람을 대체 왜…….'

IMF에 사업이 망했다지만, 봉제 인형 사업은 이미 공주 인형이나 일본 만화영화 등에 밀려 사양되고 있던 사업군이었다.

권&박 홀딩스 때문이 아니었다.

"괜찮아요."

물을 한 모금 마신 그녀는 찾아온 이유를 말했다.

"저희 권&박 홀딩스에선 IMF에 가세가 기운 분들을 위해 구제 투자를 하고 있어요. 그리고 그 첫 번째로 정인철 사장님이 당첨되셨고요."

"제, 제가요?!"

"조사해 보니 서울을 비롯해 전국 대도시뿐만 아니라 일본에도 수출을 하셨더라고요? 이 작은 도시 군산에서."

"헉! 그걸 어떻게?"

1980년대부터 90년대 초까지, 잘나갔을 때의 일이다.

"저희 회사에선 그 수완과 일본에도 수출을 할 만큼의 제품 퀄리티를 꼼꼼하게 살핀 사장님의 성격을 높이 사고 있어요."

"가, 감사합니다!"

90년대 중반부터 기울던 사업이 망하고 이 꼴이 된 지

무려 2년. 과거의 노력을 알아주는 사람이 있다는 것에 울컥 뜨거운 게 솟는다.

그러나 그것도 잠시였다.

"죄송합니다. 먼 길 찾아오셨지만 저는…… 저는……."

두렵다. 사업을 하는 게. 다시 망할까 봐 두려웠다.

권아영은 우울해지는 그의 모습에 속으로 혀를 찼다.

패배자. 지켜야 할 딸이 있음에도 다시 일어설 의지를 꺾어 버린 패배자였다. 권아영이 경멸하는 부류 중 하나.

'이런 사람에게 그 인형을 줘도 괜찮은 걸까?'

그녀의 눈빛이 차가워졌다.

'한 번만 더 확인해 보고 아니라면…….'

아마 처음으로 종혁의 뜻을 거부하게 될지도 모른다.

"혹시 생각해 놓은 사업 아이템이 있으신가요?"

정인철은 씁쓸히 웃었다.

사업을 하던 사람으로서 권아영의 변화를 알아차리지 못할 수 없었다. 그러자 울컥했다.

'자기가 뭐라고!'

열이 뻗친 그는 턱을 치켜들었다.

"예. 없습니다. 뭐 요새 말하는 인형을 개발 중이긴 한데……."

"흡?!"

"음?"

정인철은 눈을 부릅뜨는 권아영을 보았고, 그녀는 헛웃음을 흘렸다.

"이거였구나. 보스의 정보력은 대체……."

언제나 상상 그 이상을 보여 주는 종혁.

정말 실소만 나올 뿐이었다.

자세를 바로 한 그녀는 정중히 고개를 숙였다.

"죄송합니다. 방금 전은 제가 큰 결례를 저질렀습니다."

성공한 자만이 가지는 기세를 풍기는 여인의 진심 어린 사과.

갑자기 태세가 변환되자 정인철은 당황할 수밖에 없었다.

"예? 아, 아니……."

'말하는 인형이 왜?'

"다시 한번 사과드리며, 말하는 인형에 대해 제대로 들어 볼 수 있을까요? 사업 방향이라든지, 그로 인한 사회 반향이라든지."

'사업 방향? 사회 반향?'

그의 사업가 본능이 꿈틀거리며 말한다.

이건 분명 범상치 않은 일이라고.

'말하는 인형…… 말하는 인형…… 말한다. 다른 인형들과 달리 소리가 난다? 달리? 소리? ……이거구나! 이거 였어! 이 바보 같은!'

한때 사업했다는 놈이 코앞에 보물이 왔는데도 모르고 있었다.

눈앞에 번갯불이 튄 그는 고개를 들었다.

그렇게 전국 인형 상인과 봉제 인형 공장들의 배만 불

려 준 사업가, 재기의 기회마저 무너진 알러뷰 인형의 창시자 정인철은 처음부터 법의 보호를 받으며 날아오를 준비를 하였다.

그리고 한참의 시간이 흐른 후 정인철의 집을 나선 권아영은 차에 올라 담배를 물었다.

"정말 보스는……."

꺾인 의지를 다시 붙인 순간 사업가로 변모한 정인철.

종혁이 왜 그를 택했는지 알 것 같았다.

고개를 저은 그녀는 차를 출발시켰다.

정인철을 도울 인재, IMF 때 선의의 피해를 입은 인재, 그리고 종혁이 선정한 인재들을 모으려면 조금이라도 지체할 시간이 없었다.

* * *

'정인철 씨라면 잘할 수 있겠지.'

말하는 인형이 엄청난 유행을 하자 봉제 인형 시장이 다시 활성화될 거라고 좋아했던 그. 대학 졸업 후 봉제 인형에 인생을 바쳤던 그. 법원이 손을 들어주지 않았음에도 그는 애써 웃으며 봉제 인형 시장이 되살아나서 다행이라는 말을 남기고 퇴장했다.

하지만 후에 중국산 인형들에 시장이 먹혀 버리자 이러려고 특허를 인정 안 했냐고 일갈하다 쓸쓸히 술로 갔다.

능력은 좋았지만, 마음은 약했던 그.

'이번 생에는 살려 보세요. 봉제 인형 시장.'

그라면 충분히 해낼 수 있을 것이다. 그의 결과물을 가져온 이상 그렇게 해낼 수 있게 적극 도울 것이다.

'그 김에 법도 좀 개선하고.'

이 시기, 아주 조금만 비틀어도 다른 걸로 취급되는 저작권과 특허. 먼 미래엔 국민들의 생각이 바뀐다지만, 지금부터 바뀌면 훨씬 좋을 터였다.

전직 형사로서 그러길 바랐다.

"이에 명예 수사관으로 임명함. 검찰청장 김홍식."

짝짝짝짝짝!

서울지방검찰청, 그것도 지검장이 직접 꽃다발과 임명장, 수사관증을 넘겨주고 지검장실에 모인 검사들이 박수를 친다.

'살다 살다 검사들에게 박수를 받네.'

경찰로선 꿈도 못 꿀 일. 더욱이 서울지검 지검장실도 처음이었다.

"고작 한 달이라고 아쉬워 말고, 열심히 배워 봐요."

"예! 감사합니다!"

흐뭇이 웃으며 종혁의 어깨를 두드린 지검장은 손을 저었고, 냉큼 다가온 강철선이 손목을 잡아끌었다.

"아저씨 식구들 소개시켜 줄게."

그의 개인 사무실을 열고 들어가니 네 명의 남녀가 반겼다.

"이짝은 한철호 계장님."

"반갑다. 앞으로 한 달 잘 지내보자."

"이짝들은 김영미, 김 양. 서영희, 서 양. 둘 다 스물아홉 살 노처녀니까 조심해래이."

"검사님!"

"마지막으로 날 도와주는 서정호 수사관. 덩치는 곰탱이지만, 그냥 뺀질이라 부르면 된다."

"아, 거…… 반갑다. 서정호다. 형이라 불러."

모두 분위기가 밝다.

다행이었다.

종혁은 허리 숙여 우렁차게 인사했고, 강철선의 식구들은 다시 박수로 화답해 줬다.

짜악!

"모두 인사도 했으니까네 난 이놈아랑 일감 받으러 갔다 오겠심더!"

모두가 화들짝 놀랐다.

"회의에 데려가시려고요?"

"지검장님 지십니더. 따라온나."

'오우. 회의까지 들어가?'

지검장이 통 큰 결정을 내렸다.

밖으로 나온 둘은 부부장검사실로 향했다.

지이잉! 지이잉!

"받아라."

"감사합니다."

돌아선 종혁은 휴대전화를 받았다.

—종혁아!

"삼촌?"

김종두 반장이다.

—너 그 말 진짜냐? 너 진짜로 서울지검 수사관 됐어?

"아."

종혁은 피식 웃었다.

'그건 또 어디서 들었데?'

"진짜 수사관이 아니라 명예 수사관이요. 한 달 정도 인턴으로 있을 거예요."

—어째서?! 그런 거 하려면 삼촌한테 와야지!

"음. 시켜 줬으니까? 아, 경찰에서도 저 명예 경찰 시켜 준대요?"

움찔!

그럴 리가. 이제야 나왔다.

종혁이 특채를 거절한 이후 그런 말은 나오지 않았는데, 서울지방검찰청에서 종혁을 명예 수사관으로 임명한다는 말이 흘러나오고 나서야 뒤늦게 논의가 되고 있는 상황이었다.

—……그러니까 얼른 하자니까! 기다려! 내가 청장님 멱살 잡는 한이 있더라도 너 꼭 명예 경찰관 시킨다! 절대 안 뺏겨!

"네? 뭘 뺏겨……."

뚜욱!

종혁은 끊긴 전화를 멍하니 보았고, 킬킬 웃은 강철선

이 종혁의 어깨를 감쌌다.

"자, 빵뎅이 무겁고 생각이 깊지 않은 경찰 일은 그만 신경 쓰고 얼른 가제이. 늦었다."

그렇게 부부장검사실에는 이미 여섯 명의 검사가 앉아 있었다.

"응? 걔는?"

"지검장님 지십니더."

"아, 그래? 다들 알지? 인사해. 이번에 한 달 동안 수사관 인턴으로 일할 최종혁 선수."

검사들의 눈이 빛났다.

경찰의 수사권 독립에 대한 말이 나올 뻔한 상황을 사전에 틀어막은 존재, 혹은 싹수 있는 후배가 될 아이.

반갑게 맞이할 이유로는 충분했다.

그들은 손을 흔들어 종혁을 반겼고, 종혁도 허리 숙여 인사했다.

"최 선수."

"예, 부부장검사님."

"우리 부서 이름은 아나?"

"예. 강력범죄형사부 조직범죄수사과로 알고 있습니다."

"오. 그럼 혹시 강력범죄가 뭔지 아나?"

"크게 나누면 강도와 살인, 방화, 상해와 폭행, 약취와 유인, 강간과 추행, 공갈 등으로 정의할 수 있습니다. 그리고 조직범죄수사과는 말 그대로 폭력 조직을 전담하는 부서입니다."

깔끔한 정리에 눈을 동그랗게 뜬 검사들은 흡족히 웃으며 고개를 끄덕였다. 부부장검사도 마찬가지였다.

"역시 똘똘한 친구라 잘 아는군. 그중 우리 중검은 소위 전국구라 말하는 대형 범죄 조직 및 서울 경기에 산재한 폭력 조직에 대한 범죄 수사를 총괄하는 곳이지. 혹시 서울 폭력 조직의 숫자에 대해 아나?"

"약 150개에서 230개로 알고 있습니다."

검사들의 눈이 동그래졌다.

정확했다. 검찰과 경찰의 소탕 작전에 의해 그 숫자에 변화가 있는데, 대충 두 개 동에 하나씩은 폭력 조직이 있다고 보면 됐다.

"약 60퍼센트가 조직원 15명 이하 조직이며, 그 외에 약 50여 곳의 마약 조직이 있습니다."

부부장검사와 검사들의 시선이 강철선에게로 향했다.

강철선은 놀란 눈으로 손과 고개를 저었다.

"허……."

부부장검사와 검사들은 뭐 이런 놈이 다 있나 멍하니 종혁을 쳐다봤고, 종혁은 어깨를 으쓱였다.

'폭력 조직 계보까지 브리핑까지 하면 아예 뒤집어지겠네.'

* * *

"그 반장 삼촌이 가르쳐 주드나?"

얇은 서류철 일곱 개를 옆구리 낀 강철선이 혀를 내둘렀다.

종혁은 대답 대신 미소를 보여 줬고, 강철선은 입맛을 다셨다.

“그나저나 아깝데이. 니가 며칠만 더 늦게 한상원을 잡았어도 더 좋은 곳에서 일을 배웠을 낀데.”

종혁은 눈을 동그랗게 떴다.

“인사이동하세요?”

“……흐. 최 선수 경제 범죄가 뭔지 아나?”

“탈세나 사기, 기업의 반독점 등을 말하는 거잖아요.”

경제 범죄는 총 네 개의 분야로 나뉜다.

부정수표 발급이나 소득세 탈루 등의 개인 범죄.

뇌물이나 공금 횡령의 신뢰 남용.

광고법 위반, 기업의 반독점법 위반, 장부 조작 등의 기업 범죄.

합법적인 활동을 가장한 불법적인 신용 사기.

“어? 그럼?”

“흐흐흐.”

종혁은 박수를 쳤다.

경제범죄형사부.

현재는 대검 중수부와 비견되는 서울지방검찰청 특수부. 미래에는 반부패수사부로 바뀌는, 특급 부서 바로 아랫단계로 취급되는 일등 부서 중 하나였다.

즉, 강철선이 위로 향하는 레일 위에 올라섰단 소리다.

"축하드려요!"

종혁은 진심으로 축하했다.

생각보다 빨리 플랜이 진행되고 있었다.

"에이 뭘. 다 최 선수 때문 아이가."

"제가 한 게 있나요."

"많제. 아주 많제."

머쓱해진 종혁은 머리를 긁었고, 강철선은 깊이 고마워했다.

이렇게 일급 부서로 옮길 수 있는 건 모두 종혁 때문이었다.

"그러니까네 조직범죄에 대해선 간략하게만 익히라. 인사이동되믄 처음부터 다시 배워야 할 테니까네."

"예, 알겠습니다."

배울 것도 없지만, 일단 대답을 한 종혁은 순간 고개를 모로 기울였다.

'어? 잠깐? 안 그래도…….'

곧 있으면 전국 방방곳곳에서 벌어질 닷컴 버블 사기 및 작전.

인생 한 방 역전을 꿈꿨지만, 그 속 한 맺히도록 간절한 소망을 무참히 짓밟은 사기꾼들.

안 그래도 김종두 반장에게 그들에 대해 정보를 흘리려고 했는데, 이렇게 되면 이야기가 달라진다.

'만약 삼촌하고 아버님이 콜라보를 이룬다면?'

수사에 성역이 없는 본청 특수범죄수사과의 과장과, 인

사이동을 하였기에 부서에 녹아들고자 실적에 눈을 밝힐 검사.

보지 않아도 알 것 같은 조합에 종혁은 몸을 부르르 떨었다.

'이거 된다. 무조건 된다!'

너무 잘 정리하고 잘 도망쳐서 장기 미제로 남았다가 후에 검거하는 사건들.

그놈들을 모두 일망타진할 수 있다.

'딱 기다려라, 이 개새끼들아.'

종혁의 눈이 살벌하게 번들거리기 시작했다.

'뭐 일단 그 미래보다는…….'

종혁은 강철선이 옆구리에 낀 사건 파일을 보며 눈을 빛냈다.

3장. 개구멍

개구멍

"저희 검사님께서 인동파 보강해 달라고 하십니다."

"김형진이 보강 자료 어떻게 됐습니까! 아직 멀었습니까?"

"네! 지금 가요!"

오전 9시 땡.

업무가 시작되자 사무관들이 바빠졌다.

종혁은 전화기를 붙잡고, 자료실에서 자료나 판례를 가져오는 등 바쁜 그 모습에서 아주 익숙한 향기를 느꼈다.

"이게 사건 파일이라는 건데, 이렇게 정리하는 거야."

여성 사무관 서 양이 10센티미터 두께의 자료를 풀어 다시 정리한다.

종혁은 미간을 찌푸렸다.

'아니?!'

혹여 반려될까 공들여 정리한 어느 형사의 노고가 풀어 헤쳐지니 형사였던 사람으로서 울컥할 수밖에 없었다.

"왜? 경찰에서 애써 정리해서 보낸 건데 다시 정리하는 게 이상해?"

"……아뇨. 검사님들의 성향이 저마다 다르잖아요."

어떤 검사는 기승전결로 정리된 걸 원하고, 어떤 검사는 목차를 만들어 정리하길 원한다.

"하루에 수십 건의 사건을 살펴야 하는데, 원하는 걸 한 번에 찾을 수 있게 하는 건 당연하죠. 그게 누나의 일이잖아요."

서포터. 이들은 검사가 오직 사건만 살필 수 있게, 보다 빨리 해결할 수 있게 모든 걸 지원하는 서포터다.

"어머?"

맞은편 전화기를 붙들고 있던 계장도, 15센티미터의 두꺼운 사건 자료를 살피던 강철선도 눈을 크게 떠 종혁을 보았다.

종혁은 어깨를 으쓱였다.

"예습은 기본이죠."

"……푸하하핫!"

"호호호!"

종혁은 웃는 그들을 보며 콧방귀를 꼈다.

'내가 이 짓을 한두 번 하는 것도 아니고.'

어떤 사무관은 아예 '우리 검사님은 이렇게 정리하시는 걸 좋아합니다.'라고 자기 일을 떠넘긴 적도 수두룩하다.

물론 그런 사무관은 얼마 못 가서 잘리지만.

"그럼 수사관이 하는 일이 뭔지 아나?"

"검사의 명을 받은 수사에 관한 사무, 형사 기록의 작성과 보존, 검사의 소송 업무 보좌, 그 밖에 검찰 행정에 관한 사무를 총괄하는 존재요."

검사의 손과 발이 여기에 있는 이들이다.

"허어."

질문을 했던 강철선은 씩 웃었다.

"호호. 짜슥. 그리 검사가 되고 싶었나?"

"네?"

"안다. 내가 니 맘 다 안다. 니도 검사가 좋으니까 거기까지 조사했긋제. 서 양아, 잘 갈치라. 미래의 검사님이시다! 혹시 아나? 나중에 쟈 밑에서 일할지?"

"호호! 전 끝까지 검사님과 함께할 건데요?"

"치아라, 마. 어데 마음에도 없는 소리를."

오해를 하는 것 같지만, 종혁은 굳이 정정해 주지 않았다.

대신 고개를 돌려 사건 파일을 보았다.

'이게 얼마 만에 보는 거야?'

사건 파일들을 보니 입과 손이 근질거린다.

"호호. 한번 보면서 정리해 볼래? 도와줄게."

"그래도 돼요?"

"괜찮아. 밖에 말하지만 않으면 돼."

그러며 그녀는 하나의 사건 파일을 내밀었다.

'동출이파'라는 글자가 종혁의 눈에 훅 들어왔다.

'어? 이거 그건데?'

일명 동출이파 사건.

바깥으로는 알려지지 않았지만, 무려 검찰의 위상에 작은 흠집을 낸 사건이다.

주로 유흥업소 주류 공급과 운영, 성매매 알선이나 하던 작은 조직 동출이파. 그런 작은 조직이 검찰을 농락했으니, 이 당시 담당 검사는 지방으로 좌천되기까지 했다.

후에 서울지방검찰청도 아니고 대검 창고에 처박혀서 열람은 하지 못했지만, 대충 얼개는 알고 있다.

"우리 검사님은 기승전결로 정리하시는 걸 원하거든? 그러니까 이게 다음에 오도록……."

"아."

줄을 풀어 파일을 모두 풀어헤친 종혁은 동출이파 같은 작은 조직의 사건이 왜 이곳에 왔는지 알 수 있었다.

보통 이런 사건은 경찰에서 모두 수사한 후 보내기만 하는데, 검찰에서 직접 보강 수사를 하고 있다.

경찰에 보강 수사를 해 달라고 돌려보내면 되는데 말이다.

"이거 대검에 다이렉트로 꽂힌 사건이구나."

'그러니 서울지검이 수사했지.'

대검에 직접 고소되어 서울지방검찰청으로 내려온 사건이다.

자료를 보니 동출이파는 사채도 했는데, 빚을 못 갚은

일반 여성을 자신이 직접 운영하는 유흥업소에서 일하게 만들었다. 그 숫자는 다섯 명뿐이지만, 거길 이용한 자들의 목록을 보니 헛웃음이 나온다.

구의원에, 구청 고위 공무원.

누가 대검에 찌른 거다. 무마시키지 못하게.

그런 종혁의 중얼거림에 서 양의 눈이 크게 뜨였다.

강철선의 몸도 약간 흔들렸다.

'어떻게?!'

어느새 모두가 종혁을 집중했다.

"어? 조직원 숫자가 24명?"

직접 운영하는 업소가 네 개에 24명의 조직원.

마담이나 새끼들까지 모두 합하니 서른 명을 가볍게 넘긴다.

'이거 뭐가 어떻게 된 거야?'

회귀 전 동출이파 조직원은 겨우 16명으로 알려졌는데, 후에 조직원이 더 있다고 밝혀졌다.

'설마 아버님이 맡아서?'

성격이 대쪽 같아 위로 가지 못했을 뿐이지, 실력 하난 누구에게도 뒤지지 않는 강철선.

기분이 묘해진 종혁은 실실 웃으며 자료를 살폈다.

그러자 어떤 부분에서 묘한 위화감을 느꼈다.

"흠?"

종혁은 장부 복사본을 보며 고개를 모로 기울였다.

'뭐지? 왜 이렇게 잘 들어맞지? 왜?'

장부만 보면 숫제 일반인 운영하는 유흥업소의 장부를 보는 듯 깨끗하다.

'조폭 새끼들이 이렇게 깔끔하게 셈을 한다고?'

말이 안 됐다.

그런 그를 본 강철선이 몸을 일으켰다.

"와? 뭐가 까리하나? 남자라꼬 그란 데 관심 있는 게 아이고?"

"예?"

종혁의 손에 유흥업소 내부 사진이 들려 있다.

업소 크기가 얼마나 되는지 찾은 사진.

"아, 아니."

이상한 오해를 받기 싫은 종혁은 사진을 내려놨고, 사람들은 웃음을 흘렸다.

"끄응."

"크크. 니가 봐도 뭐가 이상하제?"

종혁은 고개를 끄덕였다.

"네, 너무 정직하게 장사한 것 같아서요."

강철선과 다른 이들의 눈이 빛났다.

"와 그래 생각하는데?"

"마담들이 죄다 삼십대 후반이잖아요."

화류계에서 삼십대 후반이면, 산전수전 단맛 쓴맛 똥맛 다 아는 나이이다. 매출을 속이려면 얼마든지 속인다. 반장 삼촌에게 들었다는 걸 덧붙인 종혁의 말에 강철선의 얼굴이 딱딱하게 굳었다.

"하아. 최 선수 니는 진짜 검사 해야긋다."

"예?"

"나도 그게 이상타 싶었거든. 마이킹 쓴 아가씨야 데꼬 온 마담이 관리하는 거라지만, 나머지는?"

업소 여성들이 선불로 빌리는 돈, 마이킹.

선이자를 떼는데도 이자가 살인적으로 높아서 한번 마이킹을 쓴 순간 화류계를 벗어날 수가 없게 된다.

강철선은 빚을 못 갚아 끌려온 일반 여성 5명을 가리켰다.

"이 아가씨들이 올린 매출이 와 이리 정직하게 잡힌 기고?"

'내 말이 바로 그겁니다!'

5명이 올리는 매출은 공돈이다.

기록만 하지 않으면 빚진 돈을 차감할 일도 없으니 평생 노예로 데리고 있을 수 있는데, 장부에 기록을 한다?

조폭은 그렇게 친절한 존재가 아니다.

"그거 아나? 원래 밝혀진 조직원 숫자는 겨우 16명이었데이. 근데 그 숫자로 업장을 네 개나 운영한다꼬? 유흥업소만? 제아무리 수금만 한다 캐도 말이 되나?"

종혁은 동감이라는 듯 고개를 힘차게 끄덕였다.

고작 16명이 업소를 네 개나 직접 운영한다는 것이 말이 안 된다. 사이즈를 감당하지 못한다.

"뭐 백번 천번 이해해서 그렇다 치더라도, 주류 창고 지키고 돈 받으러 다닐라모 최소 저기서 반절은 빠져야

되거든. 그럼 대가리는 누가 지키는 기고?"

다 맞는 말이었다.

"그런 거였군요."

'역시 아버님!'

"그렇다면……."

"이중 장부가 있는 기제. 뭐 대가리 동출이를 족치고 있은께 금방 불지 않겠나? ……여기 끌려온 아가씨들 숙소 위치도."

'그래, 이거였지.'

검찰이 망신을 당한 이유.

동출이파를 일망타진한 지 일주일 후, 경찰에 웬 아가씨가 찾아와 장부를 넘기고는 '자신들을 찾지 말라'라는 말을 남기곤 사라진다. 곧바로 대검에서 날아와 낚아채어 가서 경찰엔 짤막한 기록만 있을 뿐이었다.

'끝내 끌려온 아가씨들 위치는 발각되지 않았지.'

그녀들의 신분을 알 수 있는 차용증도 없었기 때문이다.

그래서 경찰이나 검찰은 이들이 그냥 도망쳤다는 걸로 결론을 짓게 됐다.

'이번에도 그러려나…….'

강철선이 종혁의 어깨를 두드렸다.

"이건 뭐 가르칠 기 없노. 좀 부족한 모습을 보여야 하는 거 아이가? 너무 그렇게 잘나면 인간미 없데이."

"하하하."

"뭐 꼬라지를 보니 기본 사무는 이쯤에서 쫑내면 될 것 같고…… 최 선수야, 현장 함 가 볼래?"

종혁의 눈이 번쩍 뜨였다.

강철선은 그런 종혁의 반응에 슬그머니 주먹을 쥐었다.

"검사도 여차하면 발로 뛴다 아이가. 어이, 빤질이. 자나?"

"예, 검사님!"

"최 선수, 아니, 종혁이 데꼬 여기 한번 구경시켜 봐라. 우리 종혁이도 성인되기 전에 이런 데 한번 가 봐야 하지 않긋나?"

"푸핫!"

종혁은 강철선이 가리키는 유흥업소 내부 사진을 보곤 이마를 잡았고, 사람들은 웃음을 터트렸다.

그렇게 종혁의 외출이 결정되었다.

"다녀오겠습니다."

종혁과 서정호 수사관이 나가자 계장이 슬그머니 다가왔다.

"제대로 키우시려나 봐요, 검사님. 재밌는 것만 보여 주시려고 하고."

컴퓨터 앞보다는 현장을 둘러보는 게 더 재밌다.

"방금 맥락을 따박따박 짚어 내는 거 못 봤습니꺼?"

단숨에 중앙에 맞지 않는 사이즈라 판단하더니 그 속사정을 짚어 냈다. 그런 후 보인 모습은 또 어떤가.

전후 사정을 모두 파악해 포인트를 짚어 냈다.

"쟈는 검사가 되기 위해 태어난 놈입니더. 그러니까 재밌는 것만 보여 줘야지요."

"하하. 확실히 범상치 않은 청년이긴 하더군요. 이러다 저희도 찾지 못한 장부를 가져오는 거 아닌가 모르겠습니다."

계장을 본 강철선의 눈이 가늘게 뜨였다.

"벌써부터 설날 떡값 걱정합니꺼?"

맞장구가 좀 과했다.

"어이쿠, 들켰습니까?"

"들켰으요."

"하하."

참 능글맞다고 고개를 저은 강철선은 종혁이 나간 문을 바라보다 머리를 긁으며 돌아섰다.

'에이, 무슨.'

"동출이나 불러오이소. 오늘은 그 아가리를 열어야겠으니까네."

분명 숨기는 게 있는데 끝까지 말을 않고 있는 동출이파 보스 석동출. 오늘은 어떻게든 그 입을 찢어 끝까지 함구하려는 비밀을 끄집어내야 했다.

* * *

"이야. 이게 며칠 만에 나오는 바깥이냐."

부아앙.

차를 모는 서정호가 룰루 콧노래를 부른다.

눈부신 햇빛에 선글라스를 낀 모습이 딱 한량 같았다.

"그렇게 좋으세요?"

"요새 사무국 수사과 분위기가 영 아니라서 놀러도 못 갔거든. 뭐 언제는 안 그랬냐마는…… 아, 내일모레 수사과 예쁜 언냐들과 한잔 꺾을 건데 올래?"

종혁은 왜 강철선이 서정호를 보며 뺀질이라 했는지 알 것 같았다.

"하하. 그런데 분위기가 안 좋다니요? 무슨 일 있어요?"

"무슨. 수사과야 언제나 분위기 안 좋지. 사건이 넘쳐나니까. 그래서 내가 검사님 밑으로 들어간 거잖아."

일을 덜하기 위해서라는 말은 묵음 처리였다.

종혁은 못 말리겠다는 듯 고개를 저었다.

"바깥까지 나왔는데 뭐 먹을래? 형이 다 사 줄게! 만 원 안으로!"

"하핫."

뺀질거리지만 얄밉지는 않은 타입.

종혁도 싫어하지 않는 타입이었다.

"흐흐흐."

서정호는 카세트 플레이어를 틀었다.

쿵쾅쾅, 시끄러운 헤비메탈 노래가 차 안을 가득 울렸다.

그렇게 달린 차는 이내 곧 지하로 향하는 입구에 폴리

스 라인이 쳐진 5층 건물 앞에 섰다.

"충성."

"어이, 수고합니다."

아직 모든 걸 토설하지 않은 석동출 때문에 혹여 증거나 단서가 인멸될까 봐 경찰이 유흥업소를 지키고 있던 차였다. 입구를 지키고 있던 경찰의 어깨를 두드린 서정호는 지하로 내려갔다.

"호오."

푸른 계열의 전등에, 대리석 바닥과 벽.

약 120평의 공간을 깔끔하고 고급스럽게 꾸며 놨다.

텐프로는 아니라도 그 밑은 될 수준이다.

종혁은 고개를 끄덕였다.

'역시 그 숫자로 운영할 만한 사이즈가 아니야. 이러니 아버님도 의심을 했지.'

회귀 전 검사가 의심하지 못한 건 '수금만 한다'라는 대목 때문일 것이다. 수금만 한다면 이해할 수 없는 것도 아니다.

'그 검사, 초임이랬지.'

연수원 성적이 좋고 빽도 좋아 서울지방검찰청에 왔을 초임 검사. 의심할 만한 내용은 아니었다.

"크. 며칠 전 금요일 저녁에 박 터지게 싸운 게 기억나네. 여기서 네 놈을 쓸어 재끼면서 동출이파 넘버 2를 잡았는데."

"오. 몇 명이서요?"

"우린 열 명이었지!"

종혁은 고개를 끄덕였다.

"어? 안 웃네?"

"웨이터도 조직원일 수 있으니까요."

"……쩝. 정답."

종혁이 웃으면 정색하고 가르쳐 주려고 했던 서정호로서는 입맛을 다실 수밖에 없었다.

'강 검사님이 검사로 만들 놈.'

즉, 언젠가 종혁은 검사가 될 것이고, 그땐 종혁도 서정호 본인과 같은 수사관을 쓰게 될 것이다.

그때 수사관을 부품 취급하지 말라고 가르치려고 했다.

"에이, 재미없어…… 응, 뭐 하냐?"

갑자기 1번 룸의 문을 활짝 열고 들어간 종혁이 소파를 눌러 보거나 벽을 두드린다.

"음? 아."

'아차.'

습관대로 행동했던 종혁은 다급히 머리를 굴렸다.

"영화 같은 곳을 보면 이런 데 뭘 숨기잖아요."

"크크. 짜식. 아주 열정적이셔? 그러다 검사 되겠다, 인마."

"하하."

"그래, 한번 해 봐. 이쪽 일 할 거면 직성이 풀릴 때까지 덤벼 봐야지."

'오?'

꽤 좋은 말을 한다.

"그렇죠. 자기가 본 게 아니면 믿지 말아야죠."

"캬. 그거 명언이네. 너 이 자식…… 최고!"

하하 웃은 종혁은 고삐도 풀렸겠다 1번 룸, 주로 마담이 머물며 쉬는 룸을 샅샅이 뒤졌다.

대부분 뭔가 숨긴다면 여기나 카운터에 숨긴다.

'장부가 어디 있으려나…….'

그렇게 얼마나 뒤졌을까. 아쉽게도 나오는 건 없었다.

소파를 해체하듯 뒤집고, 노래 기기나 화장실까지 샅샅이 뒤져도.

"흐음."

'이거 오기 생기게 만드네.'

미간을 좁힌 종혁은 룸을 다 뒤지기 시작했고, 서정호는 혀를 내두르며 뒤를 따랐다.

그러다.

"스톱!"

종혁은 팔을 내밀어 막은 그를 의아해하며 보았다.

서정호는 그런 그를 보며 음흉하게 웃었다.

"여기부터는 미성년자 관람불가인데 괜찮겠어?"

"딱 봐도 대기실인데요?"

"그러니까. 여기에서 예쁜 언냐들이 옷을 갈아입고 어? 속옷 차림으로 어? 어후으. 속옷도 어?"

한숨을 내쉰 종혁은 그를 지나쳐 대기실을 열었다.

“어? 야! 야!”

바깥과 달리 대기실은 참 허름하게 꾸며져 있었다.

누런 장판에 시멘트 벽, 화장대 몇 개.

반대편 벽에는 옷장 세 개가 있었고, 바닥엔 당시 검거가 얼마나 기습적으로 이뤄졌는지 알 수 있을 만큼 옷가지가 널려 있었다. 일명 홀복과 일반 옷들이 장판처럼 수북하게 깔려 있다.

그리고 어디선가 나는 지린내.

전형적인 도우미 대기실이었지만, 종혁은 왠지 위화감이 느꼈다.

“왜지?”

죽 훑어본 종혁은 그제야 위화감의 정체를 알아차렸다.

“여기서 일한 아가씨가 몇 명이랬죠?”

“열두 명?”

‘역시!’

종혁은 코웃음을 쳤다.

“이 큰 곳을 열두 명이서 커버해요? 만약 그렇다 쳐도 홀복이 너무 많다고 생각하지 않아요?”

바닥에 깔린 것만 못해도 50벌이다. 문이 열린 옷장 속에 걸린 것까지 합하면 거의 백 벌이 넘는다.

“그야 물론 출근하지 않은 애들이 있다고…….”

서정호의 표정이 딱딱하게 굳었다.

이런 곳에서 일하는 여성들에겐 벌금이란 게 있다.

지각 벌금, 무단결근 벌금.

그런데 급습했을 때가 금요일이다.

진짜 피크인 토요일보다는 아니지만, 그래도 피크인 금요일에 출근하지 않는다?

말이 안 됐다.

"설마 숨겨진 뒷문이?"

급습할 때 입구뿐만 아니라 뒷문까지 확인했다.

그런데 뒷문이 하나 더 있는 것 같았다.

눈에 불똥이 튄 그는 다급히 근처부터 살피기 시작했고, 종혁도 눈빛을 굳히며 그의 맞은편 옷장으로 향했다.

'여기에 없다면 대체 어디에…….'

쿵쿵!

세 개의 옷장 벽을 차례대로 두드리던 순간이었다.

텅!

"어?"

뒤에 빈 공간이 있지 않으면 나지 않을 소리.

우습게도 바닥엔 손잡이까지 달려 있다.

날듯이 달려온 서정호는 종혁을 밀어내며 귀를 기울였다.

희미한 바람 소리만 나는 벽.

마른침을 삼킨 그는 손잡이를 잡아 밀었다.

끼이익!

그 순간 코를 확 찌르는 지린내와 가계부, 차용증 등이 가득 든 박스 세 개가 눈에 들어왔다.

'이중 장부다!'

서정호와 그의 어깨로 머리를 내민 종혁은 기함했다.

옆으로 난 복도 같은 공간은 눈에 들어오지도 않았다.

하지만 아직 경악하기엔 일렀다.

부스럭!

옆으로 난 좁고 어두운 복도에서 난 인기척.

"사, 삼촌? 저, 저희 나가면 돼요?"

피죽도 못 먹은 듯한 희미한 목소리와, 최소 열 명은 될 법한 기척에 종혁은 눈을 질끈 감았다.

"이런 곳에 갇혀 있었다니……."

표정이 딱딱하게 굳은 서정호도 휴대전화를 들었다.

"예, 서정훕니다, 검사님. 대기실에서 숨겨진 공간을 발견했습니다. 그리고…… 여자도요."

* * *

장부에도 없던 여성들 발견.

무려 37명.

그건 서울지방검찰청 강력범죄형사부를 뒤집어 놓기에 충분했다.

'그년들만 안 들키면 돼. 그년들만.'

그곳에 있을 이중 장부도.

유치장에서 불려 온 석동출은 애써 태연을 가장했다.

'문제는 우리 애들 전원이 잡혔다는 건데…….'

혹시 모를 사태를 대비해 웨이터나 삐끼로 위장시킨 조

직원도 모두 잡혔다.

아직 잡히지 않은, 끌고 온 여성들의 입을 다물게 만들 놈이 없다.

석동출을 불안하게 만드는 건 바로 그 부분이었다.

석동출은 혹여 그들이 잡히지 않았어도 여성들이 도망쳤을 거란 걸 모르고 있었다. 회귀 전 유흥업소 입구와 뒷문을 지키는 경찰들 때문에 접근조차 못한 그들은 그냥 잠수를 타 버렸다.

"……병신 같은 년들. 그냥 콱 굶어 죽어 버리라지."

'아님 장부 건드리지 말고 그냥 도망치든가.'

도망쳐 봐야 어차피 손바닥 안이다.

출소한 이후 다시 잡으면 됐다.

"제발 도망쳐라. 그리고 내가 찾으러 갈 때까지……."

벌컥!

문을 열고 들어오는 강철선을 본 석동출은 드러냈던 이를 감추며 어깨를 으쓱였다.

"정말 이중 장부는 없……."

빼어억!

"크헉!"

턱을 얻어맞은 석동출은 땅바닥을 굴렀다.

벌떡 일어나 뭐 하는 짓이냐 소리치려던 그는 어느새 코앞에 드리워진 강철선의 얼굴에 입을 다물었다.

산 채로 씹어 먹을 것처럼 살의로 일그러진 눈.

"37명이래메. 씨발놈아."

"헉! 어, 어떻게?!"

"와? 끝까지 모를 줄 알았나? 안 되겠다. 닌 좀 맞자."

강철선은 방금까지 석동출이 앉아 있던 철제 의자를 들어 온 힘을 다해 내려쳤다.

퍼어억!

* * *

'올 때까지 기다려라.'

그 한마디였다.

37명의 여성이 그 비좁고 어두운 공간에 갇혀 있게 만든 건.

"야이 씨."

깜빡이는 노란 전등 아래, 습하고 좁은 시멘트 복도에 놓인 닭장처럼 상체만 겨우 일으킬 수 있는 5층 침대 여덟 개.

가장 깊은 곳에 칸막이 없이 설치된 화변기 하나.

그게 전부였다.

부모가 진 빚, 어쩌다 진 빚 때문에 끌려 온 37명의 여성들은 그런 곳에 갇혀 있었다.

찾아올 누군가를 기다리며.

1월 이 추운 날, 냉동 창고나 다름없는 그 추운 곳에서 거지도 안 입을 얇고 허름한 옷만 입은 채 전기장판 위에서 서로의 체온에 기대어.

찾아올 사람이 다시 지옥을 이어 가게 만들 게 분명한데도.

"이게 사람이 할 짓이냐? 이게? 어? 아니, 당신들은 왜 도망칠 생각은 안 했는데요?! 당신들이 노예야?!"

3일 전 샅샅이 수색했는데도 이들을 찾지 못한 자신에 대한 분노. 아무리 동출이파가 무섭다지만 신호 한 번 보내지 않은 여성들의 바보 같은 모습에 대한 분노.

서정호의 분노에, 대기실에 옹기종기 모여 종혁이 사온 빵과 우유를 먹고 있던 여성들이 힉 비명을 지르며 움츠렸다.

종혁은 그녀들의 반응과, 신체에 난 멍이나 흉터를 보며 눈을 감았다.

'도망칠 생각을 안 한 게 아니라 못 한 거야.'

폭력과 억압.

인간을 노예로 만드는 데 훌륭한 수단이다.

이제 겨우 23살을 넘기지 못했다면 더욱더.

이들 중 23살을 넘긴 여성은 한 명도 없었다.

회귀 전에는 그러다 도저히 참지 못해, 굶어 죽을 수도 있을 것 같아서 저 공간에서 빠져나온 게 분명했다.

"자자, 본인이 일 못 한 걸로 화내지 맙시다. 가서 따끈한 국물이라도 사 오세요. 저런 빵 쪼가리는 응급처치일 뿐이잖아요."

종혁이 카드를 내밀며 눈을 깜빡였다.

"……후, 아가씨들에게 화낸 거 아닙니다."

무언가 더 말하려던 서정호는 본인에 대한 환멸만 더 치솟아 입을 다물며 돌아섰다.

종혁은 그런 서정호를 보다가 슬그머니 다음 빵을 향해 손을 뻗는 여성들을 향해 허리를 깊이 숙였다.

“죄송합니다.”

여성들의 시선이 종혁의 넓은 등으로 향한다.

“늦어서 죄송합니다.”

움찔!

그녀들의 눈이 흔들린다.

담백하지만 진심이 가득한 그 말에, 폭력과 억압으로 부서져 얼어붙은 그녀들의 마음이 녹아내린다.

바라고도 바라던 그 순간.

매일 새벽 서로를 끌어안고 잘 때마다 기다리던 그날.

“……흑!”

“왜 늦었어요, 왜! 내가, 우리가 얼마나…….”

“흐어엉!”

“엄마!”

빵을 때려도 괜찮건만 땅만 치며 우는 그녀들의 모습이 칼이 되어 심장을 후볐다.

“죄송합니다. 정말 죄송합니다.”

“흐어어어엉!”

그녀들은 그 지옥 같은 시간을 겨우 견딜 수 있게 했던 옆 사람을 끌어안으며 그동안 쌓인 설움과 공포, 울분을 모두 쏟아 냈다. 펑펑 울었다.

"훌쩍!"

종혁은 옆에 앉아 빵을 먹고 있는 여성을 보며 난처해했다.

그녀는 종혁이 어디 가지 못하게 옷깃을 잡고 있었다.

"콜록! 콜록!"

종혁은 얼른 그녀의 등을 두드렸다.

고맙다는 눈빛을 보낸 그녀는 그 힘든 시간을 함께 보낸 친구들을 봤다.

"원래…… 딱 모레까지만 참으려고 했어요."

"음?"

"이대로 있다간 굶어 죽을 거 같아서. 굶어 죽나, 맞아 죽나 똑같으니 반항이라도 하려고 했어요."

햄스터처럼 빵을 먹던 36명의 여성들이 종혁의 옆에 있는 여성을 보았다.

'이 아가씨가 리더구나.'

그 지옥 같았을 시간, 서로 뭉치고 버티게 만든 리더.

"왜 그때 도움을 청하지 않은 겁니까?"

"그날 저희를 저 개미굴에 밀어 넣던 그 삼촌, 아니, 저희를 관리하던 그 새끼가 말했어요."

"그 씹새끼가 뭐라고요?"

뜬금없는 욕에 멍해졌던 여성과 다른 여성들이 풋 웃음을 터트렸다. 종혁은 그 반응에 가슴을 쓸어내렸다.

"자기는 웨이터라고. 단순 가담자니까 금방 풀려나 저희를 찾을 거라고…… 길어야 이틀이라고. 저희가 불어서 잡혀도 자신같이 위장한 다른 사람이 저희를 찾을 거라고.”

그 말과 음성을 떠올린 여성들의 몸이 딱딱하게 굳는다.

‘그래서였구나.’

그 협박이 그녀들의 목에 올가미를 걸어 버렸다.

끝이 닭장 침대에 박힌 올가미를.

욕지거리가 턱밑까지 치솟았다.

지독하단 말로도 부족한 놈들이었다.

“그래서 시간이 지나도 찾아오지 않으니까 빠져나오려고 했던 겁니까?”

여성은 고개를 끄덕였다.

종혁은 눈을 빛냈다.

“그 이후에는요?”

“만약…… 정말 만약에 저희를 찾을 수 없는 상황이라면 저 박스들을 경찰에 넘기려고 했어요.”

“더 처벌받을 수 있게?”

“아예 못 나오게. 그리고 우리 차용증이랑 신체포기각서만 챙겨서 아무도 찾지 못하는 곳으로 숨으려고 했어요.”

석동출이 흔들며 채운 족쇄.

도망치면 가족과 지인이 힘들 거라던 시퍼런 칼날.

“엄마도 아빠도 친구들도 아무도 찾지 못하는 곳으로. 우리는 더럽혀…….”

그제야 모든 상황을 이해한 종혁은 재빨리 그녀의 입을 막았다.

"아주 잠시 악몽을 꾼 것뿐입니다. 힘들고 괴로웠던 그 순간은 그저 눈을 뜨면 깨어날 악몽이었을 뿐입니다."

여성들의 눈이 흔들렸다.

"악…… 몽?"

"여러분이 스스로 말하지만 않으면 그 누구도 모를 꿈이죠."

종혁을 멍하니 보던 여성들의 눈에서 또르륵 눈물이 흘렀다.

숨죽여 흐느끼는 소리가 울려 퍼졌다.

'에이 씨부랄.'

왜 언제나 피해자만 괴로워하고 숨어야 할까.

종혁은 급격하게 몰리는 담배를 물기 위해 일어섰다.

아까 룸들을 뒤지던 중 담배를 본 기억이 있었다.

"흑. 고마워요."

"아닙니다. 그럼 전 잠시. 아, 이 사람은 왜 이렇게 안 오는 거야?"

그 순간이었다.

타다닥!

"종혁아!"

"왜 이렇게 늦었어요? 음식은요?"

"지금 그게 문제가 아냐! 기자가! 기자들이! 호송차를 따라왔어! 씨발, 대체 어디서 샌 거야!"

'기자?'

종혁의 얼굴이 딱딱하게 굳었다.

종혁은 새파랗게 질리는 여성들을, 스스로를 더럽다 여겨 아무도 찾지 못할 곳으로 숨으려고 했던 그녀들의 옷차림을 보고 다급히 외쳤다.

"모두 저기 있는 옷들 챙겨요!"

종혁은 홀복이 아닌 일반 옷들을 가리켰다.

"하, 하지만 저 옷들은……."

마담이나 새끼 마담들이 데려온 아가씨들이 마이깡을 쓰면서까지 산 고가의 명품들이다. 어쩌다 스치기라도 했다간 그날 하루 난리가 날 만큼 애지중지 아끼던 명품들.

"당신들에 대해 입도 뻥긋 안 한 사람들을 왜 신경 씁니까! 어차피 범죄 방조로 반년 이상은 썩을 테니 다 버려야 합니다!"

여기 있는 옷들은 증거품도 안 된다. 어차피 나중에 청소하는 사람이 가져갈 거, 줍는 사람이 임자였다.

'점유물 이탈은 니미.'

여성들의 눈이 동그랗게 뜨였다.

"형님, 뭐 해요! 얼른 지원 요청해서 기자들 막으세요! 그리고 아가씨들 숙소가 근처랬죠? 거기서 문 따서 옷, 백, 화장품, 선글라스 싹 다 가져오세요! 마스크랑 벙거지 모자도! 얼른!"

"어? 어!"

"자 얼른 챙깁니다, 실시!"

"시, 실시!"

* * *

우글우글!

"아, 거 밀지 맙시다!"

"연차 낮은 애들은 알아서 뒤로 빠져라!"

서울지방검찰청 입구, 이십여 명의 기자들이 몰려 있다.

그곳에 섞여 있는 박영일 기자는 먹이를 기다리는 개떼처럼 눈을 붉히는 기자들을 보고 한숨을 쉬었다.

"어, 그래 여긴 나한테 맡겨라."

전화를 끊은 박영일 기자는 카메라를 번쩍 들어 팽개쳤다.

"씨발!"

퍼억!

소리에 모두의 시선이 모이자 박영일 기자는 담배를 물었다.

"그 지옥 속에서 발버둥 치다가 이제 막 구출된 사람들이다. 고작 열여덟 살, 스물세 살이야. 막냇동생, 딸뻘 아가씨들한테까지 이러고 싶냐? 박 선배, 김 선배. 이러고 싶어요?"

"……."

"특종도 좋은데…… 적당히들 하자, 적당히."

숙연해진 기자들은 카메라를 내리며 하늘을 향해 한숨을 쉬거나 담배를 물었다.

"짜식. 이제 좀 베테랑 티 난다? 뭔 일이야?"

바른 기사만 쓰지만, 물에 물 탄 듯 술에 술 탄 듯 살아온 박영일.

"아니, 그렇잖아요. 애새끼들이 밀레니엄이다 뭐다 염색하고 귀코 뚫고 껄렁거린다고 기자들도 미쳐야겠습니까? 군사정권 때 남산에 끌려가면서도 바른 소리 내뱉던 사람들은 전부 어디 간 겁니까?"

"그땐 어떻게든 이겨 내는 게 전부였고."

"그때랑 지금이랑 뭐가 다른데요? 어차피 먹고살기 더러워요."

"워워. 진정해, 인마."

"내 지인이 그럽디다. 이번엔 제발 물어뜯지 말아 달라고. 팩트만 전해야 하는 기자한테 들개 새끼처럼 물어뜯지 말랍니다."

"……끙."

"기자란 새끼들이 쪽팔린 줄 알아야지, 씨발."

그의 일갈에 얼굴이 붉어진 기자들은 고개를 돌렸다.

"다 알아들었으니까 적당히 해. 버스 들어온다."

안에서 청원경찰들도 빠르게 뛰어나와 기자들 앞을 막았다.

끼이익! 푸쉬이!

괴로운 소리를 내며 문을 여는 파란색 버스.

"아."

기자들은 눈을 질끈 감았다.

목이 다 늘어난 반팔이나 구멍 난 바지.

서울역 노숙자조차 덮지 않을 더럽고 냄새나는 군용 모포를 두른 여성들의 가느다란 팔과 다리에 멍이 있다.

대체 뭐가 그리 무섭고 두려운지 선글라스와 마스크로 가린 것도 모자라, 군밤 장수 모자를 눌러쓴 여성들. 그 안에서 쓰던 것들을 담은 건지 저마다 커다란 포대를 들고 있다.

입을 꾹 다문 기자들은 카메라를 들어 셔터만 눌렀다.

이 처참한 모습을 알려야 한다는 생각만 가진 채.

찰칵! 찰칵! 찰칵!

그런 기자들의 모습에 그녀들을 마중 나온 강철선을 비롯한 검사들은 경악했고, 모자를 푹 눌러쓴 채 그녀들을 인도하던 종혁과 눈을 마주친 박영일은 윙크를 했다.

종혁도 옅게 웃으며 고개를 끄덕였다.

짝짝!

"간단한 신원 조회만 하고 인터뷰할 거니까네 밥 묵고 사우나 가고 한 세 시간 뒤에 여기서 보입시더! 아시겠지요? 해산!"

기자들은 머뭇거리다 뿔뿔이 흩어졌고, 돌아선 강철선은 대검 로비에 모여 있는 여성들에게 다가가 허리를 숙였다.

"여타 변명은 안 하겠십니더. 늦어서 죄송합니더."

강력범죄형사부 조직범죄수사과 검사들 모두 허리를 숙였다.

"아, 아니!"

당황하는 그녀들의 모습에 죄책감이 담긴 눈으로 푸근히 웃은 검사들이 그녀들을 인도했고, 종혁도 리더 여성의 등을 밀었다.

"금방 끝날 거예요. 대면도 없을 거고요. 그 후에 예쁘게 화장하고 명품 옷 쫙 빼입고 나가면 기자들도 알아차리지 못할 거예요."

그래서 명품을 챙기라고 했던 거다.

혹시라도 파파라치처럼 대기하고 있을지 모를 기자들의 눈을 피하기 위해.

극과 극.

그가 형사 시절 피해자들을 보호하고자 자주 썼던 방법이다.

"……끝까지 고마워요. 정말로."

"이제 다 잊고 일상으로 돌아가세요."

"네. 네에……."

이를 악문 그녀는 종혁에게 꾸벅 허리를 숙이곤 돌아섰다.

"아, 제 이름은 이현지예요! 이현지!"

"음?"

고개를 모로 기울이던 종혁은 이내 혀를 찼다.

"에이. 이현지란 이름이 희귀한 것도 아니고."

고개를 젓는 그에게 강철선이 다가섰다.

와락!

"욕봤데이. 저 아가씨들은 종혁이 니가 살렸다!"

후속 조치도 절로 감탄이 나온다.

여성들의 얼굴을 꽁꽁 가린 것도, 구해졌을 때 옷차림을 날것 그대로 데려온 것도 너무 잘해 주었다. 그 옷차림을 봤으니 기자들은 물어뜯지 않을 테고, 피해 여성들은 아무도 신변이 들키지 않은 채 일상으로 돌아갈 수 있을 거다.

'역시 이놈아는!'

"우리 셋째가 니 좋아한데메? 이참에 약혼할까?"

"그거 범죄입니다."

"일곱 살밖에 차이 안 난다! 니가 서른이 돼도 꽃다운 스물셋! 장인이라꼬 함 불러 봐라."

"무슨 소릴! 찬물도 위아래가 있지!"

로비를 쩌렁쩌렁 울리는 소리에 고개를 돌린 종혁과 강철선은 기겁했다.

"부, 부장검사님? 차장검사님? ……중수부장니임?!"

지검장 바로 아래 대검의 실세들이 다가오고 있었다.

그중엔 대검의 꽃 중 꽃, 모든 권력가들의 저승사자 대검찰청 중앙수사부의 부장도 있었다.

검찰총장의 명령만 받는 직계 수사기관 중수부.

종혁도 눈을 동그랗게 떴다.

'중수부장이 왜?'

* * *

"으하핫! 최 선수가 우릴 살렸어요, 살렸어."

끌려와서 갇혀 있던 여성이 무려 37명이었다.

일이 잘못되어 그중 한 명이라도 다치거나 죽었다면 검찰의 위상에 흠집이 날 뻔했다.

그랬다면 그들에게도 좋은 영향을 끼치진 못했을 거다.

후속 조치는 또 어떻던가.

"아니, 수사관 된 지 얼마나 됐다고 이런 실적을 올리나? 최 선수, 검사가 천직 아니에요?"

"넘보지 마소, 차장검사님. 내 껍니더."

"강 프로. 원래 좋은 건 나눠 쓰는 거야."

"도동놈 심보임니꺼!"

"응. 그러니까 사투리 쓸 거면 좀 제대로 써라. 이건 뭐 경남, 경북 사투리가 다 섞였네."

"내가 이러고 싶어서 이랍니까!"

경북에서 태어난 그는 부산지검에서 짧게 일하고 창원으로 갔다. 불의와 타협하지 않은 그의 성격이 그렇게 만들었다.

"정말 제대로 사투리 써 볼까요!"

"아니, 하지 마. 말은 알아듣게 하자."

"와."

말을 하고 싶은데 말을 할 수가 없는 강철선은 엉덩이를 들썩였고, 차장검사는 낄낄거리다 한쪽에서 오늘 증거물로 찾은 장부를 살피고 있는 중수부장을 봤다.

서울지방검찰청이 아니라 대검찰청 소속임에도 이 자리에 있는 중수부장.

"찾았어?"

대답은 그의 입가에 피어난 미소였다.

그의 날카로운 눈매가 칼날처럼 서늘해졌다.

마른 몸매에 차가운 인상을 지닌 그.

탁 소리가 나도록 장부를 덮은 중수부장이 종혁을 봤다.

"덕분에 중요한 증거를 찾았습니다, 최 선수."

종혁의 눈이 크게 뜨였다.

'중수부, 그것도 부장이 직접 나설 만큼 거물이 이번 일에 연관됐다? 설마 시의원?'

구의원이 배후이다 보니 가장 먼저 그쪽이 떠오른다.

'그런데 왜 중수부가 아니라 서울지검에서…… 아, 설마 그건가?'

중수부나 대검, 서울지검의 특수부가 움직이면 너무 눈에 띄니까 평검사에게 수사를 시킨 거다. 작은 단서라도 나오길 바라며.

회귀 전 초임검사에게 이 일을 시킨 것도 그런 의미다. 넘쳐흐르는 의욕에 여기저기 찔러 보도록.

아마 이 일의 개요에 대해 아는 존재는 부장 검사 이상

일 거다.

그러니 부장검사와 차장검사가 나온 거다.

이제야 아귀가 맞는다.

"너무 감사해서 소원이라도 하나 들어주고 싶은 심정인데. 바라는 거 있어요? 기브 앤 테이크. 도와줬으니 나도 보답을 해야죠."

이 방에 앉은 모두가 놀랐다.

그들은 기대감과 호기심 어린 눈으로 종혁을 봤다.

종혁도 심장이 크게 뛰었다.

'중수부 보물 창고를 보여 달라고 할까?'

그런 루머가 있다.

중수부 깊은 곳에 숨겨진 공간에는 이 대한민국을 뒤집을 초대형 사건들이 수없이 잠들어 있다는.

일각에서 말하길, 권력자들의 비리는 국정원보다 더 많이 알고 있다 말하는 중수부.

종혁이 파악하지 못한 그 조직에 관한 정보가 있을지도 모른다.

'아니, 아니야. 그곳을 보여 달라기엔 명분이 부족해.'

종혁은 욕심을 내려놨다.

"아니요. 없습니다."

"호, 그래요?"

단호히 거절하는 종혁의 모습에 중수부장은 눈을 빛냈다.

"아, 있다면 대한민국이 어디든 안심하고 돌아다닐 수

있는 곳이 되었으면 합니다. 경기도 안산이든, 서울 신림이든, 가령 전라도의 신안까지도요.”

훗날 범죄의 온상처럼 취급을 받는 장소들.

그중에서도 종혁이 신안을 지적하자, 그들의 미소가 미묘해졌다.

“하핫! 역시 검사가 될 인재네요. 알았어요. 노력해 보죠.”

‘정말?’

회귀 전이 떠올라 그냥 내뱉었던 종혁으로선 놀랄 수밖에 없었다.

용무가 끝난 중수부장은 몸을 일으켰다.

“대학이 꼭 한국대만 있는 게 아니에요.”

툭툭!

종혁의 어깨를 두드린 중수부장은 차장검사실을 빠져나갔고, 종혁은 그런 그의 등을 멍하니 보았다.

그리고 강철선을 제외한 남은 검사들의 얼굴이 활짝 펴졌다.

“그렇지! 대학이 꼭 한국대만 있는 게 아니지!”

“암. 그렇고말고. 우리 대학도 참 좋지!”

“조, 종혁아, 저 사람들 말 듣지 마래이! 대학은 한국대가 최고인 기라! 알았제?!”

“뭐? 야! 강 프로!”

“와요!”

종혁은 마치 애처럼 싸우기 시작한 다 큰 어른들을 보며 고개를 저었다.

'안산, 대림…… 아, 이 두 곳이나 가리봉동은 이제 자리 잡아 가지, 참.'

최초는 가리봉동이라고 할 수 있었다. 부산과 인천 차이나타운을 제외한다면.

작은 오류가 있었다.

'그렇다면 그 신안을 건드릴 만한 거물이 연관됐다는 건데…….'

"이거 궁금해지네."

하지만 중수부장이 장부를 가져갔으니 알 길이 없었다.

이럴 줄 알았다면 장부를 외워 둘 걸 하며 종혁은 아쉬워했다. 그랬다면 요구하는 게 조금 달라졌을지도 모른다.

'그래도…… 씨는 뿌렸다.'

종혁은 눈을 빛냈다.

한편.

"다녀오셨습니까!"

대검 복도를 지나던 중수부 검사들이 허리를 깊이 숙인다.

"꼬리 잡았으니까 김 의원 압수수색 들어가."

중수부장은 그중 한 명에게 장부를 던지고 생각에 잠겼다.

"맹랑한 놈."

꽤 재밌는 말을 해 주었다.

예의상 말한 것뿐인데, 제법 묵직한 짐을 안겨 주었다. 중수부장 체면에 들어주지 않을 수도 없었다.

다만.

'신안이라…….'

아직은 대중들에게 많이 알려지지 않았으나, 알게 모르게 많은 범죄가 일어나고 있는 안산과 신림.

다소 무리를 한다면 이곳들을 정리하는 건 어려운 일이 아니었다.

다만 신안만큼은 달랐다.

지역 경찰들의 유착이 포착되는 이곳을 건드린다는 건, 경찰에 메스를 댄다는 의미나 다를 바 없었다.

중수부장직까지 걸어야 할지도 모르는 사항.

신중하게 움직일 필요가 있었다.

'신안을 직접 언급했다는 건 대충 상황을 알고 있다는 건데…… 그런데도 나에게 부탁을 했다?'

잠시 고민에 잠겼던 그는 이내 종혁이 부탁하고자 했던 바가 무엇인지 깨달았다.

"푸하핫!"

중수부 검사들의 눈이 부릅뜨였다.

'부, 부장님이 웃으시다니!'

'서울지검에서 무슨 일이 있었던 거야?'

거의 천지가 개벽할 수준. 그들은 마른침을 삼켰다.

그러나 아직 놀라기는 일렀다.

"이놈 봐라? 나보고 경고를 하라는 거냐?"

그 말을 들은 중수부 검사들은 기함했다.

'부장님을 움직인다고? 누, 누가? 총장님이신가?!'

"그래. 그 정도는 해 줄 수 있지."

아니, 다르게 생각하니 좋은 기회이다.

'내 경고로 움직일 그놈들의 뒤를 쫓는다면?'

스케치만 잘하면 썩 볼만한 그림이 나올 것 같다.

'어쩌면 검찰의 오랜 골칫덩이인 신안을 통째로 도려낼…….'

그는 고개를 저었다.

뒤를 쫓아 친다고 해도 아마 한 귀퉁이만 잘라 내고 말 터.

통째로 도려내기 위해선 갖춰야 할 게 많다.

'경고로 끝내야겠군.'

그리고 뒤를 쫓아 증거를 확보한다.

지금은 거기서 만족하기로 했다. 그 정도로도 여럿의 명줄을 쥘 테니.

"흠."

'좀 모자라군.'

경고 후 중수부가 쥘 걸 생각하니 저울의 추가 다시 기운다.

"누가 안산과 대림의 공통점을 말해 봐."

중수부 검사들의 머리가 맹렬하게 돌아갔다.

"……아, 중국 조선족들이 조금씩 유입되는데 일부가 분탕을 친다고 합니다."

"분탕?"

"조선족들의 숫자는 각기 삼십 명도 안 된다지만, 이대로 방치하면 부산이나 인천 차이나타운처럼 그들만의 구역이 형성하려는 움직임을 보인다고 합니다. 가리봉동도 그런데, 현재 상주 인원이 쉰 명을 넘겼다고 합니다."

'그거였군.'

이제야 일어나기 시작한 일을 어떻게 알았는지는 중요하지 않다. 놀러 가서 봤을 수도 있고, 누군가에게 들었을 수 있다.

그저 한번 뱉은 말을 지킬 수 있게 된 게 중요했다.

그는 고개를 끄덕였다.

'이 정도면 얼추 맞겠군.'

그렇다면 이젠 움직여야 했다.

그는 명령을 내렸다.

"쓸어."

"예!"

그렇게 대한민국에 은밀히 숨어들려던 조선족 조직에 철퇴가 내려지는 순간이었다.

중수부 검사들이 흩어지자 그는 느긋이 걸음을 옮겼다.

그러며 미소를 지었다.

"검찰에 꼴통이 들어오겠어."

그것도 제법 귀여워할 만한 꼴통이.

그 순간이었다.

지이잉! 지이잉!

"예. 전화 받았습니다."

-안녕하세요, 중수부장님! 저 권아영이에요!

"오, 권 이사. 무슨 일입니까?"

얼마 전 누군가의 추천으로 알게 된 권&박 홀딩스.

돈을 맡긴 기간은 짧았는데, 칠팔십 년대 은행 이자 수

준의 수익을 내고 있다. 그로 인해 털어 낸 오물이 제법 됐다.

–한국에도 닷컴의 바람이 불려는 움직임이 있어서 연락드렸어요. 혹시 통화 괜찮으신가요?

"……그럼요. 그런 내용이라면 총장님과 면담 중이더라도 받아야죠."

그의 입가에 방금 전과 다른 의미의 미소가 번졌다.

* * *

강력범죄형사부가 있는 층의 휴게실.

싱글벙글 웃는 강철선의 모습에 종혁은 한숨을 내쉬었다.

아무리 부장검사와 차장검사에게 칭찬을 배 터지게 들었다지만, 눈빛이 너무 부담스럽다.

"피해자 조사 안 하세요?"

"그 아가씨들 밥 묵고 있다. 그동안 제대로 묵도 못했을 낀데 집에 돌아가기 전에 든든하게 채우고 보내야 하지 않긋나? 집에 가서 어무이가 채리 준 밥 묵다가 울어가 부모 걱정 안 시킬라모. 그래서 짱개부터 치킨, 보쌈까지 쫙 시킸다."

"오."

'역시 아버님답네.'

이래서 언제나 집안에 돈이 없어 현석이 그렇게 싫어했던 거지만, 종혁으로선 존중할 수밖에 없는 자세였다.

이제는 전과 달리 사정도 나아졌으니 이 부분도 이전처럼 문제가 되지 않을 터였다.

'그래요. 그렇게 계속 웃으세요.'

더 이상 누군가의 희생 없이 본인의 신념을 지키는 모습을 보니 참 기꺼웠다.

"아."

뭔가 떠오른 종혁이 작년에 TV에서 한창 떠들어 댄 손바닥만 한 크기의 포켓 PC를 열어 무언가를 보여 줬다.

전화로 인터넷을 연결하기에 1분만 써도 혈압이 오를 통화료가 부과되는 포켓 PC.

강철선은 세상 참 빨리 변한다고 혀를 내둘렀지만, 종혁이 하는 말에 곧 관심을 거뒀다.

"현재까지 올린 수익이에요."

"아, 글나…… 음?"

강철선은 눈을 비볐다.

말도 안 되는 액수가 눈에 박혔기 때문이다.

"일, 십, 백, 천, 만, 십만, 백만…… 맞는데?"

생활비 빼고 바닥까지 긁어모아 맡긴 돈 5백만 원.

그게 2주도 안 되어 6백만 원이 되었다.

"니 사기 쳤나?"

"미국 닷컴 열풍이 그만큼 대단하다는 거죠. 아마 이번 달 말엔 2백 정도 더 버실 수 있을 거예요."

"와, 역시 큰 나라답게 판이 크네. 이러다 내년에 집 사는 거 아이가?"

“일반 2층짜리 주택은 여름 되기 전에 사실걸요? 1, 2층 합해서 방 여섯 개짜리로.”

“에이.”

농담으로 말했던지라 손을 저었던 그는 이내 딱딱하게 굳었다.

“……진짜로?”

“정말로요.”

……후다닥!

휴대전화를 꺼내 든 그는 어딘가로 전화를 걸었다.

–여보세요?

“현석이 엄마.”

–와예? 식사는 하셨어예?

“됐고. 여름에 이사할 준비해라. 이사 갈 집도 알아보고. 매매로. 앞으로 우리가 살 집이니 꼼꼼하게 살피래이.”

–설마…… 아니지예?

“어허! 내가 그런 놈으로 보이나!”

–아니라믄 돈이 어데서 나서…….

“그런 줄 알고만 있으라이! 끊는데이.”

–현석이 아부지!

강철선은 종혁의 손을 꼭 잡았다.

“고맙데이. 진짜 고맙데이.”

“제가 한 게 있나요. 저한테 고마워 마시고 지금까지 버텨 준 가족들에게 고마워하세요.”

“하모. 그래야제. 당연하제.”

결혼하고 나서 처음이었다.

집을 사자고 당당히 말한 건.

종혁은 바르르 떨리는 그의 손을 보며 푸근히 웃었다.

'이젠 현석이랑 잘 지내세요, 아버님.'

"그건 그거고. 이 장인한테 바라는 거 없나?"

"하아. 범죄라니까요……."

종혁은 고개를 저었다.

"흐흐. 아랐다. 말해 봐라."

안 것 같지 않지만, 더 말하기는 싫었다.

"없어요."

"또 읎나? 하이고. 괘안타. 말해 봐라."

끝까지 물을 것 같은 기세에 종혁은 잠시 생각하다 눈을 빛냈다.

"그럼 대검과 이곳의 자료실을 구경할 수 있을까요?"

정확히는 대검과 특수부 자료실이다.

"자료실?"

"네. 다이렉트로 꽂힌 사건들만 모은 자료실."

강철선은 의아해했지만, 종혁은 눈을 빛냈다.

'중수부는 못 봤지만, 대검과 특수부 자료실에는 단서가 있을 수도 있어.'

검찰, 그것도 대검과 특수부에 직접 고소되어 경찰도 모를 사건 파일들.

그 안에 종혁이 찾는 단서가 있을 수 있다.

"와?"

"궁금해서요. 서울지검 특수부나 대검이 어떤 사건을 다루는지."

"그래? 흠."

종혁은 고민하는 그를 보며 마른침을 삼켰다.

* * *

"후우."

어두운 밤, 하얀 입김이 흩어진다.

화려한 네온사인 아래 우글우글 주위를 스쳐 지나가는 사람들.

어젯밤 쌓여 다 치워지지 않은 눈 때문에 걸음이 조심스럽다.

"호떡 2만 원어치요."

뜨거운 호떡을 산 종혁은 이제 곧 있으면 떠날 반지하 방으로 향했다.

띵동!

문이 열리며 종혁을 맞이한 건 어머니와 후끈한 보일러 열기, 그리고 TV 소리였다.

"왔니? 어땠어? 폐는 끼치지 않았어?"

뭐가 그리 궁금한지 여러 가지를 묻는 어머니.

종혁은 배시시 웃었다.

"네. 왔고요. 재밌었고요. 폐는 끼치지 않았어요."

……꼬집.

"악!"

"흥. 씻어."

종혁은 돌아서는 어머니를 꼭 껴안았다.

"다녀왔습니다."

"……그래. 얼른 씻어. 피곤하겠다."

"네."

호떡을 어머니 품에 안긴 종혁은 샤워기 앞에 섰다.

쏴아아!

"더럽게 컸지."

이 대한민국에 대검찰청이 생긴 이래 발생한 모든 사건이 모여 있던 공간. 본청의 그것을 보는 듯했다. 다 살피자면 한두 달로는 어림도 없을 것 같았다.

강철선은 결국 종혁의 부탁을 허락했다.

"흠."

종혁은 그 방대한 공간을 떠올리며 샤워를 마쳤다.

마침 9시 뉴스에서 2:8 가르마를 탄 남자 아나운서가 오늘 일을 말하고 있었다.

"저런 씨부랄 새끼들!"

팬티만 입은 종혁의 눈이 동그랗게 뜨였다.

"어, 엄마?"

"뭐?! 하여튼 저런 놈들은 아주 거기를 뽑아 버려야 돼! 너도 명심해! 여자를 함부로 대했다간 너 죽고 나 죽는 거야! 호떡이나 처먹어!"

"옙!"

종혁은 얌전히 고정숙 옆에 앉아 호떡을 입에 물었고, 특별할 것 없는 모자의 하루는 그렇게 저물어 갔다.

다음 날.

"헉?!"

기겁하며 일어난 종혁은 시간을 확인하곤 가슴을 쓸어내렸다.

어제는 일이 제법 있어서 자신도 모르게 피곤했는지 30분 늦게 일어났지만, 출근에 지장을 줄 정도는 아니었다.

"깨우지."

작게 투덜거린 그는 방을 나섰다가 굳었다.

싸늘한 공기와 적막한 집.

회귀한 이후 처음 느끼는 감각이다.

—피곤해 보여서 안 깨우고 먼저 가. 미래도 좋지만 건강은 챙겨. 파이팅.

"이런."

거실, 덮개가 덮인 밥상에 놓인 쪽지 한 장.

종혁은 얼굴을 쓸어내렸다.

특별한 일이 없는 이상 언제나 함께했던 아침 식사.

별다른 대화는 없어도 함께한다는 게 좋았던 시간.

피곤해 보여 차마 깨우지 못하고 아들이 언제 깨어날까 하염없이 기다리다 쪽지를 쓰고 떠났을 어머니를 떠올리니 가슴이 쓰렸다.

"이 병신 새끼."

회귀한 이후 어머니께 잘하겠다, 그 무엇보다 어머니가 먼저다, 하고 다짐했던 마음이 고작 3년도 되지 않아 흐트러졌다. 한상원을 잡으러 가기 전 아쉬워하던 어머니의 얼굴이 떠올랐다.

"……후우."

덮개를 젖힌 밥상엔 한 상 가득 차려져 있었다.

평소보다 더 힘이 들어간 차림.

명예 수사관. 수사관 인턴이지만 그래도 아들이 일을 한다고 공들였을 어머니의 마음이 전해져 와서 더 괴로웠다.

쓰린 가슴을 쓸어내리며 밥상에 앉은 종혁은 숟가락을 들었다.

"맛있네."

종혁은 답답한 속을 외면하고자 TV를 켰다.

-하늘을 봐! 하얗게 눈이 내려와!

겨울이라고 TV 아침 예능에서 겨울 노래가 흘러나오고 있었다.

숟가락을 입에 문 종혁은 눈을 빛냈다.

4장. 가족 여행

가족 여행

"다 안 됐어?"

"됐어요!"

후다닥 스키 점퍼를 들고 방을 나선 종혁은 웃음을 터트렸다.

핑크색 스키복으로 꽁꽁 무장한 어머니.

며칠 전 이 나이에 남세스럽게 무슨 핑크냐며 거절하던 것이 무색하게, 종혁이 나오자 슬그머니 자세를 취한다.

"어때, 괜찮아?"

"와. 스키장 가서 아저씨들이 다 쳐다보는 거 아냐?"

"흥. 이 엄마가 좀 예쁘긴 하지?"

"하하핫!"

엄지를 치켜든 종혁은 평소와 비교할 수 없게 텐션이 높은 어머니의 모습에 짧게 반성했다.

회귀 전후 다 합쳐, 난생처음 아들과 함께하는 여행이라고 저렇게 기뻐하시는 어머니.

'정말 잘하자.'

종혁은 어머니에게 다가가 점퍼 지퍼를 내려 주었다.

평소와 달리 화려하게 화장한 얼굴이 참 아름다웠다.

"더워."

"알아. 기분 내 본 거야. 음. 가스 잠갔고, 보일러 외출로 돌렸고. 다 했네. 가자, 기다릴라."

"옙!"

문단속까지 하고 대로변으로 나오니 마침 이쪽을 향해 관광버스 한 대가 달려오고 있었다.

끼이익! 취익!

문이 열리자 작은 키의 현석이 뛰어 내려왔다.

"행니임……."

퍼억!

"억?!"

"비키라! 오빠야!"

종혁은 마치 염소처럼 현석의 옆구리를 받아 버리더니 폴짝 뛰어오르는 현석이네 셋째 현희를 얼른 안아 들었다.

"어이구. 다칠라."

"히, 오빠야. 내 안 보고 싶었나? 내가 얼마나 기다렸는지 아나?"

"그랬어?"

뒤이어 나온 강철선과 그의 부인 정미자는 잔망스러운 셋째의 모습에 입을 뻐끔뻐끔 달싹였다.

"저, 저……!"

놀라는 정미자와 달리 정신을 차린 강철선은 흐뭇하게 웃었다.

'잘한다, 내 딸내미!'

그는 앞으로 나섰다.

"처음 뵙겠습니다, 종혁이 어머님. 강철선이라고 합니다."

종혁과 현희를 보며 묘한 표정을 짓던 고정숙은 얼른 허리를 숙였다.

"죄송해요. 먼저 찾아뵙고 인사를 드렸어야 했는데…… 종혁이 엄마 고정숙이에요. 저희 아들이 폐를 끼치지는 않았나요?"

"뭘요. 오히려 제가 도움을 많이 받고 있습니다. 하하하."

정말이었다.

1년 365일, 오줌 싸고 손 닦을 시간도 없이 바쁜 강철선이 이렇게 여행을 가게 된 건 모두 종혁 때문이었다.

종혁이 37명의 여성들을 구하지 않았다면, 이렇게 가족들과 여행을 갈 생각은 꿈도 꾸지 못했을 거다.

무려 차장검사의 승인. 강철선의 입은 주욱 찢어졌다.

종혁은 한껏 내숭을 부리는 둘을 보며 어이없어했다.

"야 이 가시나야! 내가 니 큰오빠다!"

"아인데. 내 큰 오빠는 종혁이 오빤데? 그자, 오빠야?"

"종혁이 행님이 우째 니 오빤데, 이 문디 가시나야!"

"욕하지 마라! 엄마!"

악악거리는 둘을 외면한 종혁은 뒤이어 내리는 소영과 수호, 그리고 그들의 가족을 향해 인사를 했다.

"호홋! 우리 소영이 라이벌 생겼네?"

"이모!"

그랬다. 이번 여행은 소영, 수호, 현석, 그리고 종혁까지 네 가족이 모두 함께 떠나는 여행이었다. 권아영, 박태규까지 모두.

* * *

"세상은 요지경! 요지경 속이다!"

"아싸, 좋다!"

"우리 셋째 잘한다!"

도로를 달리는 버스가 쿵짝쿵짝 흥겨운 리듬으로 흔들린다.

한 잔 두 잔 술에 불콰해진 어른들은 남녀 할 것 없이 신나게 흔들어 재꼈고, 그 흥에 물든 아이들은 마이크를 잡고 재롱잔치를 벌였다.

1997년 말, 찜질방에서 함께 몸을 지지며 친해진 어머님들과 아버님들.

능글맞은 강철선과 어시장 장사로 단련된 정미자가 그

들 사이에 끼어드는 건 한순간이었다.

"원래 낚시는 겨울 낚시가 최고 아입니꺼, 교수님. 형님! 배 위에서 쐬주 한 잔이랑 크!"

"오오! 혹시 아는 포인트라도?"

"언제 날 잡아서 당기러 가셔야죠?"

다시 취직하신 수호 아버지도 얼굴을 붉히며 의견을 냈고, 그걸 한심하게 바라본 어머님들은 요새 가장 인기 높은 드라마의 등장인물을 막걸리와 함께 씹으며 대동단결했다.

그러다 마이크를 잡고 노래를 불러 재꼈다.

"하이고. 우리 정숙이 가수다, 가수!"

"호호. 미자 언니도 잘 부르시던데요?"

"종혁이가 와 저리 잘났나 했더니 정숙이 끼를 물려받았네."

어머님들의 시선이 현희와 놀아 주고 있는 종혁에게로 향한다.

"하이고. 저리 다정한 남자는 찾기 힘든데."

움찔!

"……종혁이가 애를 좀 잘 보긴 해요. 호호."

'호? 쉽지 않네?'

'어딜.'

아직은 품에서 떠나보낼 때가 아니었다.

소영의 어머님은 묘한 신경전을 벌이는 둘을 보다 종혁과 현희 사이에 끼어들려는 딸을 보며 고개를 저었다.

'어휴, 저 멍청이.'

"자, 술이나 마시죠! 건배!"

"건배!"

지켜보는 이 아무도 없는 버스 안, 그들은 그동안 살면서 받은 모든 스트레스를 이참에 풀어 버리겠다는 듯 신나게 떠들었다.

"현희야. 이제 언니한테 올래? 종혁이 오빠 힘들 거야."

"오빠야, 힘드나?"

"그럴 리가."

"안 힘들다는데요? 헹!"

종혁의 무릎 위에 앉은 현희는 재빨리 종혁의 가슴팍에 얼굴을 묻었고, 소영의 눈에 불똥이 튀었다.

'저게?!'

'연적에게 질 수 없다!'

'뭐 하는 건지.'

고개를 저은 종혁은 현석과 함께 마이크를 놓지 않는 수호에게서 시선을 돌려 박태규를 봤다.

그동안 많이 힘들었는지 누워서 눈을 감고 있는 박태규.

그 뒷자리엔 권아영이 누워 있다.

현희를 옆자리에 앉힌 종혁은 그에게로 다가갔다.

그의 등 뒤로 쪼끄맣고 큰 소녀들의 눈싸움이 시작됐다.

"태규 씨도 부모님과 함께 왔으면 좋았을 텐데요."

“저도 그러려고 했는데, 허니문 가셨습니다.”

“……예?”

“그땐 못 갔으니 이번에 말 나온 김에 가신다더군요.”

“푸핫. 금슬이 아직까지 좋으신가 보네요.”

“제가 본가에서 살지 않은 이유죠. 그럼 전 좀 자겠습니다.”

조금 더 대화를 할까 했던 종혁은 몸을 일으켰다.

둘에게도 휴식은 필요했다.

“헉! 헉! 행님! 행님은 노래 안 부릅니꺼? 함 불러 보이소!”

“그래. 종혁아. 너도 한 곡 불러 봐!”

종혁은 들이밀어진 마이크를 보며 눈을 빛냈다.

‘그러고 보니 노래 부른 지도 꽤 됐네.’

옛날 팀원들과 야유회를 가면 놓지 않았던 마이크.

그때 치솟던 희열이 슬그머니 찾아왔다.

“그럴까?”

“뭐 부를래?”

“1482!”

TV에 ‘붉은 노을-김윤세’란 글자가 떠오르며 경쾌한 전주가 흘러나왔다.

“노래는 윤세 형님이지! 가자!”

“오오오오오!”

종혁도 스트레스를 풀어 재끼기로 했고, 어른들은 자신들을 이렇게 한자리에 모으게 만든 종혁을 기대감 어린 눈으로 지켜봤다. 그렇게 노래가 시작됐다.

* * *

“와! 눈이다, 눈! 누나야, 눈이 천지빼까리로 많다!”

“머스마야! 안 서나! 넘어진다!”

여길 봐도 저길 봐도 온통 새하얀 눈이다.

겨울이 되면 질리도록 보는 게 눈이라지만, 이렇게 도심을 벗어나 순백으로 물든 자연 풍광을 보니 모두의 입가에 미소가 걸린다.

“자, 어여쁜 아줌마, 아가씨는 이쪽 방, 술 냄새 풀풀 나는 바지씨들은 저쪽 방! 그리고 애들은 저 방! 아, 처녀 총각은 방을 따로 잡아 줘야 하나?”

“미, 미자 언니!”

“아주머니!”

으하핫! 꺄르르!

무슨 말인지 모르는 현희도 어른들이 웃으니 따라 웃었다.

“스키 탈 사람은 스키 타고, 사우나 갈 사람은 사우나 가고! 저녁 8시에 봐예. 해산!”

종혁은 어머니를 봤다.

종혁이 어딜 갈 때마다 아쉬워하던 모습은 어디로 간 건지 가장 먼저 앞장서서 들어가는 어머니.

‘어, 엄마?’

분명 사전에 이렇게 하기로 합의를 보긴 했지만, 묘하게 배신감이 들었다. 종혁의 눈이 가늘게 뜨였다.

"종혁아."

"아, 응. 우리도 들어가자."

드르륵! 철컥!

"와아아!"

그들을 가장 먼저 반긴 건 커다란 창 너머의 스키장 정경이었다. 신식 아파트를 보듯 깔끔하고 넓은 방.

"이 방 우리 방!"

"무슨 소리! 큰 방은 여자들이 써야지!"

"뭐? 그런 게 어디 있어! 남자가 많으니까 당연히 남자가 큰 방을 써야지! 안 그래, 현석아?"

"하모요! 수호 행님, 얼른 짐 푸이소!"

"이것들이 진짜!"

"아이다, 언니야. 저 화상들 큰 방에서 자라 캐라. 안 그러면 거실에서 빤스 바람으로 디비 잘 낀데 그 숭한 꼴을 볼 수 있겠나?"

"빤스? 패, 팬티?"

종혁을 힐끔 본 소영의 얼굴이 달아올랐다.

"그리고……."

현희는 소영의 귓가에 대고 뭔가를 말했고, 소영은 이제 종혁을 빤히 보며 고개를 끄덕였다.

"음?"

"그래. 그러는 게 낫겠네. 알았어, 남자들이 큰 방에서 자!"

종혁은 고개를 모로 기울였지만, 여자들은 이미 현관 쪽 작은 방으로 몰려가고 있었다.

눈을 깜빡이던 종혁은 어깨를 으쓱이며 창밖의 풍광을 바라봤다.

"스키장도 오랜만이네."

아련한 추억이 그를 자극했다.

담배 한 대와 함께 추억을 곱씹고 싶지만, 겨우 2박 3일 일정이다. 1분 1초가 아까운 종혁은 얼른 큰 방으로 들어갔다.

"그러니까 스키를 딱! 멋지게 타면 여자들이 막! 여자들 앞에 좌아악 멈추면 어? 그냥 오늘 밤을 찢는 거지! 아까 봤지? 대학생 누나들뿐만 아니라 외국인도 있던 거?"

"오오오!"

종혁은 김칫국을 한 사발 들이켜는 수호와 현석을 귀엽다는 듯 보았다.

'그래. 그게 스키장 로망이지.'

혈기 넘치는 나이이니 충분히 이해됐다.

하지만 너무 귀여워서 그런지 놀리고 싶었다.

"근데 너희들. 스키는 탈 줄 아냐?"

"……."

"종혁이 넌 탈 줄 알아?"

"나? 질리도록……."

타 봤다.

가끔 스키장 알바로 가장해서 잠수를 타는 범인들이 종종 있는데, 그놈들을 쫓기 위해 겨울 휴가 땐 무조건 특수부대 출신 트레이너에게 스키를 배웠다. 하지만 말할 수는 없었다.

"처음 타 보지만, 너희보단 잘 탈 자신 있지."

"……뭡니까, 행님. 그게 말입니까, 방굽니까?"

"좀 있다 보면 알아, 인마."

"억?!"

고개가 푹 숙여져 버둥거리던 현석은 겨우 풀려나 숨을 헉헉거렸고, 종혁은 낄낄 웃었다.

"대충 지갑만 챙겨서 나와. 스키 타야지!"

그렇게 말했으면서도 휴대전화까지 챙긴 종혁은 방을 나섰고, 남겨진 수호와 현석은 서로를 보며 의아해했다.

"종혁이 신났는데? 웬일이지?"

"그러게요. 언제나 무거운 행님인 줄 알았는데. 앗! 행님 같이 갑시더! 뭐하노, 퍼뜩 인나라!"

"알았다, 행님아!"

그들은 우르르 스키장으로 향했다.

촤악! 솨아악!

우글우글. 와글와글.

넓어도 너무 넓은 스키장.

그래서 조용할 줄만 알았던 그들은 의외로 시끄러운 소음에 놀랄 수밖에 없었다.

종혁은 놀란 개구리처럼 눈을 뜬 빨주노초 형광색 옷을

입은 아이들을 보며 피식 웃었다.

"스키 탈 줄 아는 사람, 손!"

"……."

"강의 예약하길 잘했네. 아, 저 사람인가 보다."

연두 형광색과 검정색이 섞인 스키복을 입은 이십대 청년이 고개를 두리번거리며 다가온다.

"여기요!"

"아."

'하아. 또 애들…… 오?'

고글을 목에 건 소영을 보고 눈을 번뜩인 강사는 재빨리 다가와 손을 내밀었다.

"스키 강의 신청하셨죠? 반갑습니다. 스키 강의를 맡을…… 칵!"

뿌드득! 빠드득!

뼈가 으스러지는 소리가 나는 손.

그 아득한 고통에 강사는 도중에 손을 낚아채 잡은 종혁을 보며 몸부림을 쳤다.

"예, 반갑습니다. 그리고……."

종혁은 그의 귀에 대고 입을 열었다.

"허튼수작 부리면 손목을 찢어 버린다. 알았냐?"

섬뜩!

"예, 예, 예!"

"예, 저도 잠시 동안이지만 잘 부탁드립니다."

종혁은 다급히 물러나는 그를 풀어 줬고, 그때 현희가

다가와 고개를 숙여 달라 손을 까딱였다.

“오빠야. 저 사람 왜 가스 불 위에 올린 오징어맨치로 춤을 추는 기고? 스키 배울라모 저래야 되나?”

“풋. 아, 춤추는 걸 좋아하는 사람인가 봐.”

“글나? 서울 사람들 이해할 수가 없데이.”

큭큭큭 웃은 종혁은 현희를 안아 들며 소영을 보았고, 소영은 밝게 웃으며 엄지를 치켜세웠다.

“크큭.”

“그, 그럼 기초 강의를 시작하겠습니다. 이, 일단 조금 높은 곳으로 이동해 볼까요?”

* * *

“이렇게요?”

“어, 네. 그렇게 에스 자를 그리면서…….”

촤아악! 촤아악!

강사는 입을 다물었다.

그 자신보다 더 멋진 곡선.

“우와!”

“와!”

“어머. 저 사람 잘 탄다!”

초보자들만 있는 라인. 이제 막 스키를 배우러 온 사람들의 눈이 동그래진다.

강사는 얼굴을 구겼다.

'씨발. 번데기 앞에서 주름잡을 뻔했네. 그리고…… 헉!'

저 밑까지 내려갔던 종혁이 마치 질주하는 코뿔소처럼 두두두 달려온다. 그는 깝치지 않기로 한 번 더 다짐했다.

단숨에 공간을 접은 종혁은 아직 A자 활강도 제대로 못하는 소영에게 입을 열었다.

"봐, 쉽지? 허리랑 무릎만 이렇게 이렇게 하면 돼."

"이, 이렇게?"

"아니이. ……하, 잠깐만."

소영의 뒤로 돌아간 종혁은 그녀의 허리를 잡았고, 소영은 마치 물 밖으로 나온 물고기처럼 퍼드득거렸다.

"아니, 그러지 말고. 중심 낮추고."

"아, 이렇게?"

"그래. 잘하네."

'씨이!'

소영의 몸에서 피어오르는 핑크빛 기류에 현희는 소매를 물어뜯었다.

"내 낀데. 종혁이 오빠야는 내 낀데! 안 되겠다."

더 이상 방치했다가는 큰일 날 것 같은 느낌에 현희는 그들을 향해 걸음을 옮겼다.

그 순간이었다.

촤아아아악!

"꺄아악! Step aside! Step aside-!"

뜬금없는 영어에 고개를 돌린 현희는 그대로 얼어붙었다.

"어?"

종혁, 아니, 소영의 뒤를 향해 달려드는 누군가.

파랗게 질린 현희는 다급히 외쳤다.

"언니야, 오빠야!"

"음? 이런 씨!"

어느새 2미터 거리.

종혁은 다급히 소영을 잡아당기며 덮쳐드는 누군가를 막아섰다.

그리고.

퍼어억!

"커허헉!"

"오?"

"와."

사람이 난다.

날개가 달린 것도 아닌데 누군가 잡아당기는 것처럼, 마치 차에 받힌 것처럼 옆으로 튕겨 날아간다.

"오."

주위 사람들과 똑같은 반응을 보이던 종혁은 쿠당탕 눈바닥을 구르는 그를 보며 눈을 껌뻑였다.

본인이 한 일임에도 썩 현실감이 느껴지지 않은 광경.

설마 이렇게 튕겨 나갈 거라곤 그도 예상하지 못했다.

'와. 이 미친 몸뚱이가 이런 일도 해낸…… 아? 어? 아!'

종혁은 다급히 그를 봤다.

"으악! 괜찮습니까!"

뒤늦게 사고를 쳤단 걸 깨달은 종혁은 파랗게 질리며 그를 향해 몸을 날렸다.

* * *

"으하하핫!"

고소하게 삼겹살이 구워지는 남자들 방, 사람들이 오늘 있었던 일을 듣고 웃음을 터트린다.

"살아는 계셔?"

"끙."

"호호호호호!"

다행히 눈밭을 굴러서 그런지 손목을 삔 걸 제외하곤 다친 곳이 없었다. 그래도 혹시 몰라 병원에 다녀왔다.

"그래도 고맙다. 우리 소영이 구해 줘서."

방금 전까지 놀리던 사람들은 언제 그랬냐는 듯 엄지를 치켜들었고, 종혁은 푸근히 웃었다.

"당연한 일인 걸요."

"물론 그래도 내 딸은 못 주지만!"

"아빠!"

"이크!"

다시 웃음이 터졌다.

"잘했다. 그런 의미로 한 잔 받아라."

"네?"

"괜안타. 어른이 주는 건 받아도 된다."

종혁은 슬쩍 고정숙의 눈치를 봤다.

못 들은 척하고 있는 그녀의 모습에 종혁은 피식 웃었다.

"그러면 생애 첫 술은 어머니께 받을게요. 엄마."

놀란 사람들은 이내 곧 응당 그래야 한다며 푸근한 미소로 고개를 끄덕였고, 고정숙은 못 이기는 척 술병을 받아 들었다.

'종혁이가 벌써 술을 마실 나이가 됐구나.'

매일매일이 다르게 커 가는 아들을 보니 울컥 눈물이 솟는다.

좋은 사람들과 얼큰하게 취해서 그런지도 몰랐다.

"지금까지 수고했지만, 방심하지 마. 딱 일 년만 더 참자, 아들."

"……옙! 엄마도 꼭 몸 건강 챙기세요."

"그래. 고마워."

무릎을 꿇고 양손으로 받은 종혁은 그녀의 잔에도 술을 따라 줬고, 소영과 수호도 각자의 부모에게 술을 받았다.

"지금까지 수고했고, 앞으로 일 년 남았으니까 조금만 더 노력하자."

"응, 아빠."

"예, 아버지."

방 안에 다른 의미의 온기가 돌았다.

"자자 내 자격은 없지만, 선창 한번 해 보겠심더. 제가

'우리 가족의 행복을' 하고 외치면, '위하여' 하고 후창하시면 됩니더. 우리 가족의 행복을!"

"위하여!"

채재쟁 술잔이 한가운데서 부딪치며 웃음꽃이 폈다.

"후아."

베란다의 찬바람이 달아오른 볼을 식힌다.

한번 고삐가 풀리니 어른들은 연신 술을 권했고, 종혁은 넙죽넙죽 다 받아먹었다.

'술이다!'

회귀 전, 위를 들어낸 후 끊다시피 한 술.

참 맛있는데, 한번 마시면 몇 날 며칠을 고생하기에 특별한 날에만 마신 술.

"진짜 몸뚱이 돌았네."

한 세 병을 연달아 마신 것 같은데 취하지를 않는다.

"좋은 사람들과 마셔서 그러나?"

하하호호 떠드는 가족들.

담배 한 모금이 당긴다.

드르륵!

"음? 여 있었나?"

"담배 피우러 나오셨어요?"

"그라기도 하고, 김 교수가 권 이사한테 이상한 소리 하길래 도망쳤다. 자기도 힘들어하는 교수 몇 명 안다고 구제 투자받을 수 있냐 말하데? 하이고, 이 좋은 날 뭔

돈 얘기고?"
"아하."
"구제 투자가 뭐꼬?"
"IMF의 선량한 피해자들을 구제하기 위해 권&박 홀딩스에서 투자를 하는 거예요."
종혁은 그러며 정인철 케이스를 말했다.
"아버님도 주위에 그런 분 계시면 말해 주세요. 정말 선량한 피해자가 있으면."
"글나? 허이고. 나랏님도 못하는 걸 권 이사가 하네."
그렇게 말하면서 누가 있나 생각하던 강철선은 문득 떠오르는 게 있었다.
"아, 맞다. 그 장부 기억하나?"
"장부요? 아, 그 장부?"
"알고 보니까 그게 김 의원하고 연결돼 있다 카드라."
"김 의원이요?"
"김성령 의원. 2선 시의원."
종혁은 고개를 모로 기울였다. 처음 듣는 이름이었다.
"하긴 정치에 관심 없음 모를 만도 하제. 하여튼 이놈아가 어떤 재개발이랑 연관되어 있었는데 놀라운 건 그 김 의원 위에 또 누가 있었다는 기라. 중수부가 원래 노린 게 그 정체 모를 윗선이었는데, 더 놀라운 게 뭔지 아나?"
"뭔데요?"
"김 의원과 그 윗선을 연결하던 중간 다리가 잠수를 타

뿟다는 기다. 그뿐만이 아니라 연결 고리가 싹 사라져뿟다. 마치 처음부터 존재도 안 했다는 듯이.”

움찔!

‘존재하지 않았다는 듯이? ……설마?’

갑자기 촉이 선다. 우연일 수도 있지만, 마침 종혁도 그런 조직에 대해서 알고 있었다.

“그거 흥미로운 이야기네요. 그래서요?”

종혁의 상체가 강철선을 향해 기울어졌다.

“그래서는 뭐 그래서고. 놓쳤지. 그 때문에 중수부가 요새 조선족 아들 때리는 거 아이가. 화풀이로. 안산, 가리봉동, 대림. 다 아작이 나고 있다.”

종혁은 헛웃음을 터트렸다.

‘내가 전에 한 말 때문인가?’

우연이라고 치기엔 조선족은 중수부가 건드리기에는 너무 작은 판이었다. 평검사 정도가 건드린다면 모를까.

‘이번엔 그곳들도 좀 나아지려나.’

부디 그랬으면 했다.

“그럼 그 김 의원은요?”

“……죽었다. 중수부 조사받고 돌아간 그날 자택에서 목 맸다.”

종혁의 얼굴도 딱딱하게 굳었다.

“설마 자살을 당한 겁니까?”

얼굴이 더 딱딱하게 굳은 강철선이 담배를 물었다.

“자살을 당했다라…… 토악질 나올 맨키로 딱 어울리

는 말이네. 형사들이 쓰는 말이가?"

"……."

"후우. 모른다. 일단 국과수에서는 자살로 판명 났다."

"약물은요?"

"안 나왔다 카드라. 꼬롬하지만 정말 자살인 기제."

그래도 종혁의 표정은 펴지지 않았다.

검사가 안 되는 약물도 있기 때문이다.

정말 자살을 한 건지, 강요에 의해 자살을 한 건지, 아니면 약에 의해 자살로 위장된 건지 지금 상황에선 판가름할 수 없다.

"피울래? 어른이 주는 건 피아도 된다."

"……예, 감사합니다."

치익!

뿌연 담배 연기가 허공으로 흩어졌다.

"후우. 하여튼 그래서 중수부 꼬라지가 말이 아이다. 그 중간 다리도 진짜 우연히 찾아낸 거거든. 아마 장부를 입수한 게 며칠만 늦었어도 그 중간 다리의 존재조차 몰랐을 기다."

순간 종혁의 몸이 흔들렸다.

'정말 그놈들인가?'

방금 전이 의심이었다면 지금은 반쯤 확신이다.

지독할 정도의 은밀함. 그게 촉을 강하게 자극했다.

"2선 시의원이면 정치인뿐만 아니라……."

"재계 인물이 배후일 수도 있는 기라. 그래서 골치 아픈 기고.”

국회의원처럼 무소불위의 권력을 휘두르지 못하기에 스폰서가 필요한 시의원. 그 스폰서는 정치적일수도 있고, 자금적일 수도 있다.

‘어쩌면 둘 다일 수도 있고.’

“아무튼 그것 때문에 중수부에서 고맙다 카드라. 여차했으면 중간 다리의 존재조차 몰랐을 기라고.”

“아.”

“……니기미. 정말 자살을 한 건지 당한 건지는 몰라도, 세상 참 험하지 않나?”

종혁도 동감이라는 듯 고개를 끄덕였다.

‘언제는 안 험했냐마는.’

좁디좁은 대한민국, 편안하게 살던 시기가 없었다.

환한 주황빛 조명으로 빛나는 야간 슬로프를 내려오는 사람들을 응시하던 강철선은 다시 입을 열었다.

“닌 진짜 평생 어무이에게 감사하며 살아야 한데이.”

“갑자기요?”

“그 어린 나이에 홀몸으로 이렇게 키워 준 게 어디고? 이런 곳에 버리지 않은 것만 해도 평생 업고 살아야 하는 기라.”

맞는 말이다.

그 어린 나이에 친가 외가가 다 반대하는 결혼을 하며 의절한 이후, 이날 이때까지 친가 외가의 도움 없이 종혁을 키운 고정숙.

"당연하죠. 앞으로도 그럴 거고요."

종혁의 단호한 눈을 본 강철선은 푸근히 웃었다.

"에고. 잘하는 놈한테 뭔 신소리를 하는 기고. 진짜 이 놈의 직업병은 불치병인 기라. 내 먼저 들어갈테니 다 피우고 들어온나이."

"예, 들어가세요."

종혁은 강철선이 들어가자 방금 전 강철선이 본 풍경을 보았다.

세상 걱정 없이 야간 슬로프를 활강하는 사람들.

"확실히 그런 시기지."

타들어 가는 담배처럼 가슴도 타들어 간다.

IMF의 여파로 고아가 급증한 시기.

버티고 버티다 결국 자식의 손을 놔 버린 암울한 시기.

이때, 가출을 한 게 아니라 가출을 당한 많은 아이들이 거리를 배회했다.

가장 안타까운 케이스는 자식에게 마지막 행복을 안겨주고자 없는 돈까지 모두 끌어모아 놀이동산이나 스키장에 데려간 후 버리는 거다. 그리고 부모는 이름 모를 야산 같은 곳에서 자살을 한다.

"……그래. 그 어린 것들도 이 시대의 피해자지."

비록 종혁 본인의 잘못은 아니지만, 그들을 구하고 싶었다.

누군가 오지랖이라 말하더라도 상관없었다.

마음이 움직였으니 실행에 옮길 뿐이다.

곧 이런 일들이 뉴스를 타며 정부가 기초생활수급자, 국민기초생활보장법 등의 대책을 마련하지만, 종혁은 따로 움직이기로 했다.

"내가 돈이 없는 것도 아니고."

종혁은 계획을 세우며 마지막 한 모금을 빨았다.

"그나저나…… 정말 그 자식들인가?"

'정말 그렇다면, 이때부터, 이 이전부터 존재한 거라면…….'

섬뜩.

"니기미 씨빠빠 새끼들."

이를 뿌득뿌득 간 종혁은 따로, 그것도 아주 깊이 조사해 봐야겠다고 생각하며 돌아섰다.

"그리고 그 새끼."

블랙박스를 뜯어 간 놈.

분명 사십대의 목소리였다. 그렇다면 현재 또래일 확률이 높다.

'또래라.'

그의 눈이 차갑게 가라앉았다.

* * *

다음 날, 아침. 종혁은 해장을 마친 어머니 고정숙을 이끌고 스키 슬로프로 나왔다.

"괜찮다니까."

"왜에. 스키장까지 왔는데 스키 한번 안 타려고? 괜찮아, 가르쳐 줄게."

"그래요, 어머니. 한번 타 보세요. 종혁이 정말 잘 타요."

소영까지 옆에서 거들자 고정숙은 결국 질 수밖에 없었다.

"쯧. 하여튼 일 벌이는 데는 뭐 있어. 어떻게 타는데?"

히죽 웃은 종혁은 기초부터 천천히 가르쳐 주었고, 두 모자는 손을 맞잡은 채 제법 오랜 시간을 보냈다.

그에 자극을 받은 수호 가족와 소영 가족도 말이다.

"아이고, 힘들다!"

사람들로 가득한 카페, 가장 연장자인 수호 아버지가 의자에 축 늘어지자 수호 어머니가 혀를 찼다.

"남자가 힘도 없어서리. 우리 여자들 본 좀 받아 봐요."

움찔.

아버지들이 슬그머니 고개를 돌렸다.

똑같이 스키를 탔는데도 여성들은 점심 먹고 뭐 할까 하며 계획을 짤 만큼 생생한 반면, 남자들은 물에 삶은 파김치가 되어 버렸기 때문이다. 술 핑계를 대려고 해도 같은 양을 먹었다.

무너지는 가장의 권위에 아이들은 키득키득 웃었다.

"Oh?! Hi!"

옆을 지나가던 무리 중 한 외국인 여성이 종혁에게 아는 척했다.

붉은 머리의 미녀.

사람들은 의아했지만, 종혁은 벌떡 일어났다.

"손목은 좀 괜찮아요?"

종혁의 유창한 영어에 사람들의 눈이 동그래졌다.

"응. 괜찮아. 아, 이쪽은 어제 봤지? 우리 아빠, 엄마."

"어젠 경황이 없어 소개조차 못했습니다. 최종혁입니다."

"하하! 괜찮아요. 스키도 못 타면서 높은 곳에 올라간 내 멍청하지만 예쁜 공주님 잘못이죠. 당신이 할 건 다 했습니다. 코젤 샤크입니다."

"안젤라 샤크예요."

"난 이리나! 친구들은 날 애나라고 불러. 나이는 열여덟 살. 넌?"

"……동갑이네."

미국 나이로 따지면 동갑이었다.

"난 최종혁. 그리고 이쪽은 우리 엄마."

종혁은 고정숙부터 차례로 소개시켰다.

"오, 반가워요. 코젤입니다."

"하, 한국어? 한국어 할 줄 압니꺼?"

종혁도 놀랐다.

"초큼. 초큼. English department professor입니다."

소영 아버지의 눈이 빛났다.

"영어학과 교수? 어디 대학교입니까?"

"Korea University of Foreign Studies?"

"오! 대한외대! 반갑습니다. 한국대 국어국문학과 교수……."

그렇게 서로 말을 나누다 보니 어느새 합석을 하게 됐고, 이리나는 냉큼 종혁의 옆을 파고들었다.

"너 몸 정말 단단하더라! 나 바위에 부딪친 줄 알았어! 운동해?"

"아, 운동하지. 유도하고 있어. 선수야."

"정말?! 나 유도 선수 처음 봐!"

종혁은 미안해서 맞장구를 쳐 줬지만, 그 밝은 분위기에 소영과 현희는 소매를 물었다.

'이래서 그 작은 방에 짐을 풀었던 건데!'

'안 된다, 오빠야! 저 불여시가!'

소영과 현희의 어머니는 어색하게 웃었다.

그렇게 커피를 다 마신 그들은 점심을 먹기 위해 이동했다.

샤크 일가도 함께였다.

"그런데 혁. 인기가 많은데? 눈빛이 아파."

"음?"

종혁의 옆에 선 이리나는 종혁의 왼손을 꼭 붙잡은 채 노려보는 현희와, 뒤에서 노려보는 소영을 눈짓으로 가리켰다.

"하하."

말하기 애매한 상황.

화제를 돌리기 위해 주위를 둘러볼 때였다.

"점심 뭐 먹을래?"

"정말 어제부터 왜 이렇게 내 말을 듣는지 모르겠는데…… 돈가스?"

흠칫!

'이 목소리는?'

종혁은 재빨리 뒤를 돌아봤다.

"혁?"

"오빠야."

"잠깐만."

현희의 손을 뿌리친 종혁은 다급히 뒤를 쫓았다.

'어디냐. 어디야! 이 개새끼야!'

결코 잊을 수 없는 목소리다.

자기 전에도 일어나서도 수십 번 곱씹는 목소리.

그 조직을 쫓을 유력한 단서.

기억에 있는 건 중년의 목소리지만, 그게 어리다면 딱 방금 들은 목소리였다.

휙! 휙!

"아이, 뭐야!"

"죄송합니다!"

일가족. 십대에서 이십대 청년이 포함된 일가족.

종혁은 귀신에게 홀린 듯 건물 바깥이나 식당가도 정신없이 확인했다. 그러다…….

"종혁아! 대체 왜 이래?"

"오빠야!"

겁을 잔뜩 먹은 얼굴을 한 채 종혁을 끌어안은 소영과 현희, 뒤따라온 어머니와 수호, 다른 가족들의 얼굴에도 걱정이 가득하다.

'……빌어먹을. 잘못 들은 건가.'

레스토랑 화장실까지 다 확인해 봤지만, 없다.

얼굴을 쓸어내린 종혁은 애써 웃었다.

레스토랑 안의 모든 사람들이 쳐다보고 있었다.

"미안. 아는 사람인 줄 알았는데 아니네. 놀랐지?"

"엉엉. 다신 그러지 마! 얼마나 무서웠는지 알아?!"

언제나 당당하고 든든하던 종혁의 일그러진 얼굴과 부릅뜬 두 눈이 너무 무서웠다.

"그래. 정말 미안해."

현희를 안아 든 종혁은 종혁은 어른들을 향해 고개를 숙였다.

"죄송합니다. 안 좋게 엮인 사람을 본 줄 알고……."

"착각이었어?"

종혁은 어머니 고정숙을 향해 고개를 끄덕였다.

"미안해, 엄마. 놀랐죠?"

"……됐어. 밥이나 먹자."

"뭐 멀리 갈 거 있습니꺼? 그냥 여기서 먹읍시더. 여기 샤크 교수님도 있으니까 서양식으로!"

"그럴까요? 여기요!"

분위기를 수습한 그들은 곧 다시 떠들기 시작했다.

그렇게 일정의 마지막 날까지 웃고 떠들며 관계를 돈독

히 한 그들은 아쉬움을 접으며 스키장을 떠났다.

부르릉!

'부디 잘못 들은 것이기를.'

"우웅. 오빠야. 다신 그라지 마라."

종혁은 현희의 볼을 쓰다듬으며 이를 악물었다.

* * *

-미안해, 아들. 정말 미안해.

이런 선택을 할 수밖에 없는…….

엄마 아빠 없어도…….

눈물과 변명으로 얼룩진 편지가 흙과 눈, 때로 범벅 된 손안에서 구겨진다. 이틀 전 아침 식탁에 놓여 있던 편지.

"어쩐지 그 지랄맞은 사정에 이런 곳에 왔다 했다……."

이젠 인정할 수밖에 없었다.

이 세상에 혼자 남게 된 걸.

언제나 술에 취해 고래고래 소리를 지르며 폭력을 휘두르던 아버지. 그럴 때마다 양 귀를 막던 어머니는 이제 세상에 없다.

"죽을 거면 같이 죽지 왜……."

언제나 비겁하던 둘은 끝까지 비겁했다.

"이젠 어떻게 살지?"

벌써 이틀째 아무것도 못 먹은 소년의 메마른 입이 뜨거운 김을 내뱉는다.

뽀드득! 뽀드득!

흠칫 놀란 소년은 몸을 일으켰다.

'여기 숨으면 못 찾을 거라 생각했는데!'

이젠 이 스키장도 떠나야 할 것 같았다.

모자를 푹 눌러쓴 소년은 모른 척 소리가 나는 방향을 향해 걸었다. 반대쪽은 높은 담벼락, 도망칠 곳이 없었다.

"어. 김 의원 쪽은 더 이상 걱정할 거 없으……."

화들짝!

"어우씨. 깜짝아."

담배를 문 채 전화를 하던 사십대 중년인은 스쳐 지나가는 소년에 고개를 모로 기울였다. 흙먼지로 더러워진 스키복이 눈에 들어왔다.

"아니야. 잠깐 놀란 것뿐이야. 아무튼 어르신이 다시 부를 때까지 들키지 않게 있어. 이왕이면 의심 피하게 가족 같은 것도 만들어 보고. 아이고, 너나 네 새끼들 단속 잘하세요. 어, 그래, 끊는다."

전화를 끊은 중년인은 다급히 소년을 불렀다.

"어이, 소년. 잠깐!"

"뭡니까?"

매섭게 뜬 눈. 중년인은 굶주림과 절망, 체념과 분노가 가득한 그 눈동자를 보며 입꼬리를 비틀었다.

"오? 눈빛 좋은데?"

"……후. 아저씨. 요새 십대 무섭……."

"됐고. 가출?"

"……."

"아니네. 아, 그럼 버려졌냐?"

뿌득!

주먹을 꽉 쥔 소년은 그대로 달려들었다.

"읏챠!"

콰당탕!

중년인은 소년을 넘어트려 등을 짓눌렀다.

"놔! 놔, 이 씨발놈아-!"

"아이고, 짐승처럼 팔딱대는 거 봐라. 마음에 드는데?"

"죽어, 씨발! 죽어!"

"야, 너 버려진 거면 이 아저씨랑 같이 갈래? 밥은 줄게."

움찔!

소년의 반응에 히죽 웃은 중년인은 몸을 일으켰다.

그러곤 더 이상 말을 하지 않고 바깥을 향해 걸었다.

고개를 쳐든 소년은 그 날카로운 등을 바라보다 몸을 일으켜 뒤를 쫓았다.

1월 말, 매서운 눈발이 흩날리기 시작했다.

마치 그들의 흔적을 지우려는 것처럼.

5장. 부모에게 다시 돌아가다

부모에게 다시 돌아가다

사락사락.

대검이 세워진 이후 해결된 사건과 미제 사건이 빼곡하게 모인 대검의 사건 자료실. 그 방대한 넓이의 자료실에 종이를 넘기는 소리가 울려 퍼진다.

탁!

어느 두꺼운 사건 자료를 덮은 종혁의 눈이 번들거렸다.

"찾았다."

또 하나를 찾았다.

그 조직이 자살을 시킨 거라 의심이 되는 사건을.

이번 피해자는 서울의 3선 시의원. 재개발에 깊이 발을 담그고 있던 그는 비리가 포착되면서 수사에 들어갔는데, 1996년 4월 자살을 한 걸로 수사가 종결됐다.

이 사건도 김 의원 사건과 마찬가지로, 위와 연결되는 중간 다리가 증발해 버렸다.

'차량도, 목격자도, 사람도…….'

돈을 옮길 때 쓴 차량도 사라져 버렸고, 돈을 옮긴 사람도 누구 한 명 목격한 사람이 없다.

분명 있어야 함에도 마치 애초부터 존재하지 않은 사람처럼.

그가 회귀 전 조사하던 사건들처럼.

사람들의 이목이 집중되지 않은 포지션. 잡아도 그만, 안 잡아도 그만인 포지션에서 움직이다가 사라졌다.

하수구 악취보다 구린 냄새가 풍겼다.

"96년."

이게 정말이라면 이 조직의 역사가 너무 깊다.

종혁이 죽임을 당하기 직전까지 생각하면 최소 30년.

파면 팔수록 이가 갈린다.

그리고 지독한 고독도 가슴을 갉아먹는다.

이 조직에 대해 공유할 사람이 있다면, 누군가 함께 찾을 수 있다면. 그러기 위해 강철선을 지원하는 거지만 그래도 하루라도 빨리 같이 찾을 수 있다면 얼마나 좋을까 하는 생각이 들었다.

'그런데…… 흠.'

갑자기 종혁의 머리 한구석이 간질거린다.

'뭐지? 뭐가 걸리는 거지?'

김 의원 사건과 다 똑같은데 뭔가 다른 게 있는 느낌.

'다른 게 있다면 이 사건은 종결된 거고, 김 의원 사건은 현재 진행형인…….'

저벅저벅!

"뭐 찾는 거라도 있어요?"

마치 도서관의 사서처럼 이 자료실을 지키는 사람이 다가온다.

은퇴를 코앞에 둔 육십대 중반의 노인.

"여러 사건들을 살피던데."

종혁은 주름이 잡히게 웃는 그를 보며 머리를 긁적였다.

"아뇨, 그런 건 아니고 이 대한민국에 미제 사건들이 참 많다 싶어서요. 이 사건도 몸통과 머리는 잡았지만, 배달부가 사라져서 일망타진했다고 볼 수 없잖아요."

사건명을 본 노인은 고개를 끄덕였다.

"맞아요. 휴, 얼른 과학이 발전돼야 그런 사람들을 잡을 텐데……."

노인은 그러며 주위에서 하나의 박스를 꺼냈다.

"이 사건도 그렇죠."

"……아."

박스에 적힌 사건명을 본 종혁은 탄식을 뱉었다.

'이게 대검에 있구나.'

김선우 어린이 유괴 살인 사건.

그가 회귀하기 전까지 범인을 잡지 못한, 영구 미제로 남은 사건이자 대한민국 3대 영구 미제 사건 중 하나이다.

'이걸 잊고 있었구나.'

노인의 눈이 빛났다.

"기억해요?"

종혁은 고개를 끄덕였다.

기억하지 못할 리가 없다.

중앙경찰학교에 다닐 때나 연수 때 질리도록 범인의 목소리를 들었으니 말이다. 대한민국 형사들이 가슴에 새기고 사는 사건.

"역시 검사님을 꿈꾸는 분답게 기억력이 좋네요."

"에이, 여기 있는 모든 사건을 외우고 계신 어르신만 할까요."

종혁은 씩 웃었다.

인간 컴퓨터나 다름없는 그.

"커피 좋아하세요?"

"어이쿠. 미래의 검사님이 이 뒷방 늙은이에게 바라는 게 있구나."

"제가요? 설마요. 그저……."

지이잉! 지이잉!

"잠시만요."

종혁은 중요한 순간을 방해하는 전화를 받았다.

-어데고? 밥 묵자!

"……네."

노인은 푸근하게 웃었다.

"가 봐요. 난 언제나 여기 있을 테니까."

“쩝. 그럼 다음에 뵐게요.”

노인은 얼른 가 보라는 듯 손을 저었고, 사건 파일을 원래 자리에 꽂은 종혁은 사건 자료실을 빠져나갔다.

그런 종혁을 기묘한 시선으로 응시하던 노인은 방금 전까지 종혁이 읽던 사건 파일 박스를 돌려 안쪽으로 밀어 넣었다.

그리고 다른 박스를 가져와 가렸다.

* * *

시의회 건물을 나온 종혁은 한숨을 내뱉었다.

“공통되는 게 없네.”

혹여 배후가 정치인이 아닐까 싶어서, 자살을 당한 걸로 추정되는 시의원이나 구의원이 소속된 지역구의 당시 국회의원을 찾아봤지만, 공통되는 인물이 없다.

당파도 어느 의원은 야당이고, 어느 의원은 여당이었다.

그들 비리에 얽힌 다른 인물들도 공통점이 없었다.

혹시나는 역시나가 되었다.

톡톡.

다시 쓰기 시작한 형사 수첩을 두드리며 생각에 잠기던 종혁은 혀를 찼다.

“하긴 이렇게 쉽게 꼬리가 드러날 거였으면 벌써 잡았지.”

'다른 점이 뭘까.'

종결과 현재 진행형이기에 다른 점.

아무리 생각해도 답이 나오지 않았다.

이럴 때 답은 하나이다.

막막하고 앞이 보이지 않을 때 하는 행동.

회귀 전 형사인 그가 지겹도록 했던 행동.

"발로 뛰어야지."

보이지 않아 막막하면 보일 때까지 뛰면 된다.

그게 형사다.

마침 '수사관증'도 있지 않던가. 비록 '명예'이긴 하지만.

종혁은 씩 웃었다.

"자, 그럼……."

지이잉!

"아."

오랜만에 움직일 생각에 달았던 몸이 전화 한 통으로 팍 식어 버렸다. 종혁이 전화를 받았다.

"정말입니까?! ……알겠습니다. 곧 가죠."

전화를 끊은 종혁은 얼른 도로를 향해 손을 뻗었다.

"택시! 여의도요!"

그는 권&박 홀딩스로 향했다.

* * *

"에프릴 닷컴 매수해 주세요!"

"AT 풀 매수 들어갑니다."

"회계 자료 아직 안 넘어왔어요!"

권&박 홀딩스 2층의 사무실, 미국투자 팀. 전화기를 붙든 몇몇 남녀들의 몸에서 뜨거운 열정이 뿜어져 나온다.

"예, 부탁합니다."

달칵!

전화를 끊은 삼십대 중반의 사내는 넥타이를 살짝 풀며 한숨을 토해 냈다.

"푸후."

됐다. 성공이었다.

권&박 홀딩스가 하는 거대한 공사에 주춧돌 하나를 더 놓았다.

짜릿한 성취감이 그의 온몸을 뒤흔들었다.

똑똑!

삼십대 초반의 여성이 그의 책상을 두드렸다.

"선배, 커피?"

"오, 시간 되나 봐?"

"모두 끝났거든요."

짙은 피로 속에도 성취감이 가득 서려 있다.

남성의 눈이 빛났다.

"……오케이."

둘은 탕비실로 향했다.

쪼르륵.

까만 원두커피가 두 개의 머그잔에 담겼다.

"크. 커피 맛 죽이고."

"동감. 여의도 그 어디든 우리 회사처럼 진짜 커피를 주는 곳은 없을걸요? 죄다 몸에 안 좋은 믹스 커피나 블랙커피지."

그뿐만이 아니다. 원하는 모든 부식거리가 무한으로 제공되고, 직원 복지도 미국 월가에서나 듣던 수준이다.

보너스는 매달 나오는 수준.

여의도 증권가의 신화 박태규가 만든 이 회사는 모든 게 상상 이상이었다.

'그중 백미는 무조건 실력이라는 거지.'

사내 정치? 없다.

회식? 없다.

주말 등산? 없다.

오직 실력. 실력으로만 직위와 연봉, 보너스가 정해진다.

여성인 그녀에게 있어 이 직장은 꿈에서나 그리던 파라다이스였다.

"풀어 봐. 얼마나 벌었어?"

처음부터 끝까지 러시아 모라토리엄을 작업한 박태규에게 일부분의 일감을 넘겨받은 여성.

그녀는 어이없다는 듯 실소를 터트렸다.

넘겨받은 일감을 모두 정리한 결과는 너무 어이가 없어서 웃음만 나왔다.

"제가 맡은 것만 80배요. 총액은……."

마치 누가 들을까 주위를 살핀 그녀의 귓속말에 남성의 입이 떡 벌어졌다.

"정말이야? 그게 가능한 거였어?"

"나도 이게 꿈이면 좋겠어요."

미쳤다. 그의 머릿속에 가장 먼저 드는 생각이었다.

"그, 그렇다면 이번 작업으로 인한 총수익은 대체 얼마……."

"몰라요. 추정조차 불가능한 수준이에요."

"네가? 말이 돼?"

여성이란 이유로 차별을 받아 홧김에 증권사를 박차고 나온 그녀이지만, 그래도 그 능력만큼은 최고라 평가받았다.

"대표님이 혼자 다 했잖아요. 하지만 그래도 한 가지는 알 수 있어요. 우리 대표님은 정말 미친 인간이라는 거."

"동감이다. ……하긴 이러니 IMF 때 그렇게 털어먹은 거겠지."

어찌어찌 살아남을 수 있을 거라 평가되던 종금사 다섯 곳과 은행 하나가 무너졌다.

박태규가 해낸 일이다.

고개를 힘차게 끄덕이던 여성은 눈빛을 빛냈다.

"그래서 선배는 어떻게 생각해요?"

"……닷컴 버블 붕괴?"

"네. 정말 일어날 것 같아요?"

미국 닷컴 활황은 이제 시작이라는 듯 연일 고공행진이고, 국내도 그에 편승에 시동을 걸고 있다.

슬슬 닷컴 불패라는 말이 나오고 있었다.

호록!

"반반. 솔직히 우리 대표님이 확신하지 않았다면, 방금 네 말을 듣지 않았다면 무조건 닷컴 불패에 올인했을 거야."

IMF와 러시아 모라토리엄의 예견.

박태규는 그들 증권맨들에게 있어 신의 손이었다.

"선배도 그렇게 생각하는구나……."

"그렇지. 아, 시간 됐다. 다 마셨으면 들어가자."

고개를 끄덕인 둘은 탕비실을 나왔다.

"어? 쟤는?"

계단을 오르는 종혁을 발견한 여성은 고개를 모로 기울였다.

그건 남성도 마찬가지였다.

"최 선수, 자주 보네. 아무리 컴퓨터를 하러 온다지만. 흠."

"왜요. 얼굴과 몸이 좋잖아요. 어머. 눈 마주쳤다."

종혁이 손을 흔들어 주자 여성은 재빨리 손을 흔들었고, 남성은 그런 그녀를 어이없다는 듯 보았다.

"그거 범죄예요, 노처녀 아줌마."

"아직 노처녀 아니거든요!"

"서른한 살이?"

"야."

둘은 그렇게 티격태격하며 자리로 돌아갔다.

통통!

종혁은 3층 박태규 사무실의 문을 열고 들어갔다.

"Yes. That's right."

손가락을 펴서 기다려 달란 신호를 준 그는 이내 곧 전화를 끊으며 활짝 웃었다.

"보스!"

"새로 뽑은 직원들은 좀 어때요?"

박태규는 미소로 선대답을 했다.

"권 이사가 정말 노력해 줬습니다."

최고라는 소리였다.

종혁은 가슴을 쓸어내렸다.

"태규 씨가 이제 편하게 일할 수 있게 돼서 다행이네요."

"하하. 걱정해 주셨습니까?"

"저야 언제나 태규 씨를 걱정하죠. 그래서 스키장에서 푹 쉬도록 해 드렸잖아요. 아, 이틀째 저녁에 권 PB랑……."

"무슨 오해를 하는지 모르겠지만 절대 아닙니다. 여기 포지션을 모두 정리한…… 결과입니다."

러시아 모라토리엄의 모든 포지션을 정리한 결과.

피식 웃으며 용지를 받아 들어 살핀 종혁은 이내 눈을 비볐다.

하지만 숫자는 방금 전 봤던 그대로였다.

거북이 눈처럼 끔뻑이던 종혁의 눈이 박태규를 보았다.

"왜죠?"

그때도 경악스러운 액수였지만, 지금은 눈앞이 컴컴한 수준이다.

2차로 정리했을 때 액수의 딱 두 배.

박태규도 어이없다는 듯 웃었다.

"러시아. 생각보다 막장인 나라더군요."

2차로 정리했을 때, 약 80퍼센트를 털어 냈었다.

그래서 모두 정리하면 얼마 되지 않을 줄 알았다.

하지만 아니었다.

나머지 20퍼센트가 진짜배기였다.

박태규도 정리를 하면서 얼마나 놀랐는지 몰랐다.

모두 러시아가 제대로 대처하지 못해서 만들어진 상황.

이런 박태규의 말에 종혁은 피식 웃었다.

'이거 나탈리아가 날 잡아먹을 수도 있겠는데?'

하지만 그보다는 이 돈으로 뭘 할 수 있을까 하는 생각부터 든다.

'뭐든 할 수 있겠지.'

대기업을 사는 것 말고는 뭐든.

그러자 하나의 생각이 번뜩 떠올랐다.

'발로 뛰는 것도 좋지만, 그보단…….'

"보스?"

"……아닙니다. 수고하셨습니다. 정말로."

종혁은 박태규의 손을 강하게 잡으며 그 두 눈을 또렷이 응시했다. 그 뜨거운 시선에 박태규의 가슴이 술렁였다.

뿌듯하면서도 자긍심이 가득 차올랐다.

"보스……."

"그리고 이렇게 해 주신 분에게는 선물이 있어야겠죠."

"예?"

종혁은 결과가 적힌 용지를 뒤집어 '10%'라는 숫자와 기호를 썼다. 그 의미를 알아차린 박태규는 펄쩍 뛰었다.

"너, 너무 많습니다!"

"아니요."

종혁은 단호하게 고개를 저었다.

그리고 다시 박태규의 손을 잡으며 시선을 마주쳤다.

"아무리 미리 예상했다지만, 태규 씨가 아니었다면 이런 거액을 벌지 못했을 겁니다. 당신은 이걸 받을 자격이 있습니다."

이는 진심이다.

애초 2차로 정리했을 때조차도 예상했던 것보다 수십 배 이상의 수익을 올리지 않았던가.

"종혁 씨……."

박태규의 가슴에 방금 전과 다른 의미의 자긍심이 차오른다.

'이게 인정을 받는다는 건가…….'

얼마 전처럼 완벽하지 못한 결과물이 아니라 완전한 결과물로 인해 받는 인정. 왜인지 울 것 같았다.

"대신 어디 가지 말고 계속 나와 함께 있어 주세요."

"예, 암요. 당연히 그래야죠."

종혁은 코가 붉어지는 그를 보며 따뜻하게 웃었고, 사무실 분위기는 훈훈해졌다.

벌컥!

"보스 여기 있…… 어머? 둘이 연애해요?"

"음? 으핫!"

종혁은 재빨리 손을 빼는 박태규를 음흉하게 쳐다보는 그녀를 향해 씩 웃었다.

"아, 미안합니다. 제가 애인분 손을 잡고 말았네요."

순간 사무실 공기가 얼었다.

"……아니거든요!"

"절대 아닙니다!"

'맞구먼, 뭘.'

어쩜 이렇게 마음이 잘 맞는지.

종혁은 귀를 후비며 낄낄 웃었다.

* * *

"그거 알아요? 사랑해요."

'3%'라는 쪽지를 쥔 권아영은 방금 전 잡아먹으려 했던 건 어디 간 건지 얼굴에 환한 꽃을 피웠다.

'역시 내 생각이 맞았어!'

종혁을 믿고 작은 도박을 한 그녀, 아니, 그들.

보다 더 많은 돈을 벌 수 있는 도박을.

사람을 믿는 최고의 도박을 한 결과가 그 짧은 시간 내에 이런 성과를 냈다.

그녀는 절대 종혁의 손을 놓지 않으리라 다시 한번 다짐했다.

"고백은 애인에게 하시고…… 권 PB, 아니 권 이사가 해 줘야 할 일이 있습니다."

"일이요?"

종혁은 스키장에서 세운 계획을 말해 줬고, 권아영과 박태규는 눈을 깜빡였다.

"가출 청소년 쉼터요?"

뜬금없는 말이었지만, 종혁의 표정은 진지했다.

"정확히는 갱생이 가능하거나 도움의 손길이 필요한 아이들을 돕는 겁니다. 단순히 숙식을 제공하는 수준을 넘어 교육과 의료, 법률, 카운슬링까지 제공하는."

"카운슬링?"

"겉으로 드러난 상처만이 전부는 아니죠. 마음의 상처도 치료해야죠."

"아."

회귀 전엔 하지 못했던 일.

아니, 승진에 목을 메느라 애써 외면한 일이다.

하지만 지금은 다르다.

종혁은 그러며 박태규가 건넨 결과물을 두드렸다.
“이 돈이면 충분하겠죠?”
벌었다면 갚아야 했다.
그리고 종혁은 자신만의 방식으로 갚을 생각이었다.
“아.”
권아영과 박태규의 눈이 흔들렸다.
‘진짜…….’
“그거 알아요?”
“사랑한다고요?”
“이래서 보스를 좋아한다고요.”
그 어떤 열아홉 살이 이런 걸 생각해 낼까.
그들은 혀를 내두르면서도 어깨를 폈다.
이런 사람이 자신들의 보스였다.
그들 사이에 훈훈한 공기가 흘렀다.
“아, 그런데 부동산 매입은 어떻게 되어 가고 있죠? 신사옥 이전은요?”
움찔!
종혁의 눈이 가늘어졌다.
“그, 그게…….”
대답이 궁색해지는 그녀의 모습에 피식 웃은 박태규는 TV 리모컨을 들었다. 괜히 휘말리기 싫었다.
띠잉!
-익명의 제보자의 제보로 인해 그동안 행방이 묘연했던 잠자리 소년들의 유골이 발견됐다는 소식입니다. 현

장에 가 있는…….

"어머!"

"오?!"

권아영과 박태규는 깜짝 놀랐지만, 종혁은 눈을 감았다.

형사들 가슴에 새겨진 무거운 짐.

김선우 어린이 유괴 살인 사건과 같은 대한민국 3대 영구 미제 사건.

종혁은 회귀 전보다 일찍 발견된, 아니, 발견하게 만든 그들은 이제 조금이라도 온전한 모습으로 부모의 품으로 돌아가게 될 것이다.

그 춥고 어두운 곳에서 벗어나.

'부디 좋은 곳에 가기를.'

종혁은 조용히 명복을 빌었다.

* * *

권&박 홀딩스를 나선 종혁은 머리를 긁었다.

"많이 바쁜가 보네."

능력 좋은 그녀가 부동산 일을 신경 쓰지 못하고 있다.

생각해 보면 그럴 만했다.

준형 등과 계약을 맺은 정영탁의 연예기획사 EBM 관리와 정인철의 봉제 인형 사업 컨트롤에, IMF 피해자 구제 투자 사업, 소영이 아버님이 추천한 이들의 투자 검토, 인맥 관리 등 몸이 열 개라도 모자랐다.

"권 이사에게도 믿을 수 있는 손과 발이 있으면 좋으련만…… 나도."

손과 발뿐만 아니라 눈과 귀까지 되어 줄 사람들.

정보원.

형사 하면 정보원이었다.

형사에게 중요한 자산 중 하나인 정보원.

회귀 전, 종혁도 개인적으로 부린 정보원만 여덟 명이 넘었다.

방금 전 모든 포지션을 정리한 결과를 본 후 가장 먼저 떠오른 생각이었다.

"너희가 그렇게 은밀하다고?"

그렇다면 개미조차 빠져나갈 수 없는 촘촘한 그물을 치면 된다. 어느 정도의 돈이 들어갈지 상상조차 안 가서 얼마 전까진 엄두도 못 냈던 일.

종혁의 머릿속에 그 일을 맡길 만한 몇 명의 인물이 떠올랐다가 가라앉는다.

"……하, 이 시기엔 죄다 미짜네."

성인인 몇 명은 행동거지가 좀 나쁘고, 나머진 입이 가볍다.

골치를 썩일 이들을 제하니 죄다 미성년자.

다른 의미로 골치가 아팠다.

"뭐, 일단 그 전에."

이는 누구도 모르게 진행되어야 할 일.

아주 오래전, 거의 97년도부터 따라붙었던 거머리를 떼어 내야 했다.

"이 정도 봐줬으면 됐지."

만약 태국이나 한상원 검거, 합숙이나 가족 여행 때 따라왔다면 벌써 치워 버렸을 존재들. 도로가 세워진 봉고차 옆을 지나던 종혁은 주먹을 들었다.

그리고 봉고차의 조수석 창문을 향해 주먹을 내질렀다.

쾅! 쾅! 쾅! 콰자작!

금이 가며 부서진, 검은 선팅의 창문.

몸을 움츠린 항공 점퍼 사내의 손에 사진기가 쥐여 있다.

운전석에 앉은 중년인도 마찬가지다.

종혁은 그들의 얼굴을 보며 고개를 모로 기울였다.

유명 운동선수들에게도 따라붙는 파파라치 정도로만 생각했는데, 면상이 범죄자형이다.

"야, 너희 뭐냐?"

"이런 씨!"

푸드등!

대답 대신 시동부터 켜려는 운전석 사내.

"뭐, 말할 생각 없단 거지?"

종혁은 보조석에 앉은 사내의 멱살을 잡아 끌어냈다.

"으허억?!"

"겨, 경식아!"

봉두난발에 흉건한 코피.

얼굴이 엉망인 삼, 사십대 남성이 공손히 무릎을 꿇고 앉아 있다. 지나는 사람들이 관객이 되어 지켜보기 시작했다.

"흐음. 그렇단 말이지?"

"예, 예. 그러니까 저희는 이만 가 봐도 될까요, 최 선수?"

"……쯧."

아쉽지만, 현재로써는 이들을 처벌할 법령이 없다.

그건 미래도 마찬가지.

종혁은 손을 저었고, 재빨리 일어난 그들은 차에 탑승해 부리나케 도망쳤다.

부아아앙!

멀어지는 봉고차를 보던 종혁은 그들이 알려 준 전화번호로 전화를 걸었다.

-여보세요?

종혁은 미간을 좁혔다.

늙은 노인의 음성인데, 왜인지 낯설지가 않았다.

"누구쇼?"

-…….

* * *

"이야. 서울 한복판에 이런 곳이 다 있네."

고풍스러운 한옥 담장이 쭉 세워져 있다.

재벌가들이 몰려 사는 동네에서도 본 적이 없는 한옥이다.

“누굴까.”

종혁은 몸을 풀며 대문으로 향했다.

그리고 마중 나온 노인을 보고 낯빛을 굳혔다.

“어서 오세요, 최종혁 선수.”

가슴팍에 변호사 황금 배지를 차고 있는 노인.

“당신, 아니, 어르신은…….”

기억에 있는 몽타주다.

박태규를 구출할 당시 봤던 사람.

거기까지 생각한 종혁은 눈을 껌뻑였다.

“여기가 설마 소영이 외할아버님 댁이었습니까?”

노인은 박태규 사건 때 경찰서에 왔던 권아영의 대변인 이영창 변호사였다. 서울지방검찰청의 지검장을 지낸 입지적인 인물.

김종두 반장이 후에 말해 줬기에 권아영의 배경이 심상치 않다는 건 알 수 있었다.

왜 익숙한 목소리였는지에 대한 의문은 풀렸지만, 머릿속은 더 헝클어졌다.

‘권 이사 아버지가 날 왜?’

쪼르륵!

옥빛의 찻물이 찻잔에 따라진다.

“드시오.”

양반다리를 하고 앉은 종혁은 따뜻한 김이 올라오는 찻잔을 들며 날카로운 인상의 노인을 응시했다.

마른 몸매지만, 등이 꼿꼿이 펴져 있는 호랑이 같은 기세의 노인.

하얀 한복 때문인지 더 깐깐하게 느껴진다.

'권회수, 통칭 권 영감.'

금융실명제의 철퇴를 맞기 전까지 명동 바닥을 주름잡던 사채업자이다. 종혁이 살던 시대엔 없던 인물. 아니, 정확히는 너무 오래전 은퇴했기에 그의 레이더망에 걸리지 않은 것뿐이다.

호록!

'괜찮네.'

제법 상등품의 차다.

"미안합니다."

탁!

찻잔을 내려놓으며 고개를 숙이는 그의 모습에 종혁은 혀를 찼다.

너무 이른 타이밍의 사과다. 그러면서도 진심이 느껴진다.

'명동의 돈 귀신이라 불리던 양반이 존댓말이라…….'

능구렁이가 따로 없었다.

종혁은 찻잔을 내려놓았다.

"어째서입니까?"

감정이 사라진 눈이 권회수를 응시한다.

아무리 권아영의 부친이라고 해도 감시한 걸 용서할 수 있는 건 아니다.

“처음엔 과년한 계집이 시집갈 생각은 안 하고, 또 강짜를 부리나 싶었습니다. 하나, 딸아이가 내민 자료를 보니 아니더군요.”

“소영이 이모, 아니, 권 이사가 저에 대해 말했군요.”

권회수는 많은 걸 알고 있다.

더 이상 내숭은 필요 없었다.

‘호.’

딸 권아영을 부르는 호칭이 너무 자연스럽다.

게다가 호칭이 바뀌자 기세도 바뀌었다.

19살 나이가 생각나지 않을 만큼 묵직한 기세.

한 분야에서 성공하지 않은 이상 가질 수 없는 기세다.

‘진실로 이 청년이?!’

이미 알고 있는 사실을 다시금 확인한 것뿐이지만, 마치 처음 듣는 것처럼 경악스럽다. 하나 권회수는 그런 걸 겉으로 표현할 만큼 허튼 세월을 살아온 사람이 아니었다.

“예. 그래서 뭐 하는 놈일까.”

권회수가 고개를 비틀며 내밀었다.

돈 귀신의 눈이 웃음으로 번들거렸다.

“어떤 놈이기에 또 그 아이의 마음을 흔들었나 궁금해졌습니다.”

사내처럼 괄괄하고 공부에 영 관심이 없었던 권아영은

어느 날 갑자기 유학을 가겠단 폭탄을 터트렸다.

알아보니 학교 선배의 손에 이끌려 한국대 경제학과 교수의 간담회에 참석했는데, 그때 그 모습이 너무 멋져 보였다고 했다.

이후 권아영은 매일 코피를 쏟으며 공부해 성적을 끌어올리더니 결국 미국으로 유학을 떠났다.

"마름 짓이나 하며 똥인지 된장인지 찍어 먹어도 모를 만큼 총기가 흐려지던 그 아이를 다시 뜨겁게 만든 사람은 누구인가."

종혁은 속으로 혀를 찼다.

'부정이군.'

아버지의 사랑이다.

짜증이 나지만, 마냥 안 좋게 생각할 수가 없었다.

"결과는 물어볼 것도 없겠군요."

돈 귀신이라 불릴 만큼 피도 눈물도 없었던 그다.

영 아니었다면, 벌써 떼어 놨을 것이다.

"예. 훌륭하더군요."

어느 하나 꼽지 못할 만큼 모든 게 훌륭했다.

솔직히 종혁이 드라마 속 등장인물인 줄 알았다.

"이후부턴 매일 이런 차를 마시는 것 말곤 할 일 없는 심심한 늙은이의 작은 호기심이었습니다. 다시 한번 사과드립니다. 그리고 우리 아영이 앞으로도 잘 부탁드립니다."

'못 당하겠군.'

세월, 나이, 연륜. 모든 게 까마득히 앞서는 노인이 서른 넘은 딸을 위해 열아홉 살짜리에게 허리를 굽힌다. 당해 낼 수가 없었다.

그렇다 보니 그가 감시를 한 것도 따져 물을 수가 없게 되었다.

'능구렁이 같으니. 쯧.'

하지만 괜한 심술이 들었다.

'어쩐다. 흠…… 아!'

사채업자. 세상만사 수많은 인간군상을 보아 온 직종.

떠오르는 게 있었다.

탁!

종혁은 다 마신 찻잔을 내려놨다.

"제 덕분에 재산을 몇 배 불리신 걸로 알고 있습니다. 금융실명제 때문에 어쩔 수 없이 놓아야 했던 재산을 모두 복구하셨겠죠."

"음."

'역시 그렇게 생각하는 건가.'

결국 당신도 더 많은 돈을 벌기 위해서 감시한 게 아니냐 하는 물음. 딸을 팔지 말고 솔직해지라는 물음이었다.

그는 그렇게 받아들였다.

권회수의 낯빛이 흐려졌다.

그러다 울컥 솟는 게 있었다.

'내가 아니었으면, 그 돈을 못 벌었을 놈이! 감히!'

하나 공부하던 시절처럼 뜨겁게 움직이는 딸이 눈에 밟

힌다.

“그 돈.”

……까득.

‘결국 이놈도 돈에 미친놈이었던가.’

하지만 딸이 웬수다.

“원한다면…….”

“뜻깊게 써 보시는 건 어떻습니까?”

“음?”

“겸사겸사 소일거리도 하시면서. 더 이상 심심하지 않게. 아무리 벌어도 욕먹지 않은 일을.”

권회수는 씩 웃는 종혁을 보며 미간을 좁혔다.

종혁의 미소는 더욱 짙어졌다.

* * *

달그락.

미지근한 찻잔을 내려놓은 권회수는 차갑게 식어 버린 맞은편 자리를 가만히 지켜봤다.

그러다 돌연 웃음을 흘렸다.

“……허허. 백문이 불여일견이라더니.”

실제로 겪고 나니 얼마나 미친놈인지 감이 잡힌다.

인성, 재능, 지능 모두 더할 나위 없이 훌륭한데, 미친 놈.

그런데 그런 놈이 다 늙어 관에 들어갈 날만 기다리는

늙은이의 가슴에 불을 질렀다.

"아무리 벌어도 욕먹지 않은 일이라."

여태껏 눈에 보이는 현금만을 믿으며 살아왔던 그.

주식도 원금이 보전이 되지 않으면 담보로 잡지 않았다. 그렇기에 온갖 욕과 저주를 받았는데, 그땐 그럴 거면 돈을 빌리지 말았어야지 하는 생각에 이기적인 놈들의 개소리로 치부했다.

하지만 이 나이를 먹으니 가슴에 얹힌 떡처럼 숨통을 죄었다.

"허헛. 나도 늙은 게지."

웅성웅성.

벌컥!

마루가 좀 소란스럽더니 권아영이 들어와 몇 시간 전 종혁이 앉아 있던 자리에 양반다리를 틀며 앉았다.

"손님 왔다 갔어요?"

"쯧쯧. 과년한 계집이 앉는 자세하고는. 그래서 시집은 가겠어?"

"……."

또 그 말 하려고 불렀냐는 표정을 지은 그녀는 다과상 옆에 놓인 카세트 플레이어를 눌렀다.

–세상은 요지경. 요지경 속이다–!

달칵! 끼리리릭!

–김밥에 햄이 없대–!

"음. 됐다. 식사는 하셨어요?"

"……고얀 것. 어째 제 언니는 하나도 안 닮았는지."

"개성이에요."

혀를 찬 권회수는 새 찻잔에 차를 따라 내밀었다.

"웬일이세요? 아빠가 차를 다 주시고?"

"됐고. 요새 건물이며 사업 컨트롤이며 가출 청소년 쉼터며 꼬랑지에 불붙은 망아지처럼 뛰어다닌다며? 달리 성과는 없고."

찻잔을 들던 권아영의 몸이 굳었다.

그녀의 눈썹이 하늘로 솟았다.

가출 청소년 쉼터는 바로 오늘 나온 말이 아니었던가.

"이젠 딸도 감시하세요?"

"됐고. 가출 청소년 쉼터는 왜 하려는 게냐? 싸구려 동정 때문이야?"

"……도움이 되니까요. 정치인은 민심을 잡은 사람을 해하지 못하잖아요."

"그렇지."

'이제야 봐줄만 하구먼.'

이제야 머리가 돌아간다. 사업을 하는 사람이라면 제아무리 동정에서 시작한 일이라도 그 안에 숨어 있는 이득을 봐야 했다.

흡족해하며 고개를 끄덕인 권회수는 두툼한 노란 대봉투를 다과상에 내려놓았다.

퉁!

눈을 굴리며 봉투 속 내용물을 살핀 그녀는 화들짝 놀

랐다.

"이건?"

"오 년만 묵혀도 최소 두 배는 건질 놈들로 추렸다."

건물 등기부 등본들이다.

"아, 아빠!"

"하나, 다섯 배, 열 배 진또배기는 여기에 있지."

"……네?"

권아영은 관자놀이를 두드리는 아버지 권회수를 멍하니 바라봤다.

"왜 못 알아들어? 가출 청소년 쉼터건 부동산이건 해줄 테니 자리 만들어 보라는 거 아냐?!"

이전에는 담보가 아니면 쳐다보지도 않았던 부동산.

'아무리 벌어도 욕을 안 먹는다고? 하긴 그렇지. 허헛.'

수십억 부동산을 보유해도, 수백억 부동산을 보유해도, 부러워하는 사람은 있을망정 저주하는 사람은 없다.

가슴이 뛰었다.

"……아빠?"

그녀의 머릿속이 헝클어졌다.

'지, 지금 이 말은 다시 현역으로 복귀한다는? 아, 아니지, 복지사…… 미치겠네. 왜? 갑자기 왜?'

호록!

권회수는 차를 한 모금 마셨다.

"어떤 놈이 그러더구나. 관에 함께 묻히지도 못할 돈, 남의 눈에서 피눈물 뽑아 모은 돈 뜻깊게 써 보는 게 어떠냐고. 말하는 꼬라지를 보니 아직 정정하니 소일거리 삼아 일해 보는 게 어떠냐고. 늙을수록 일을 해야 한다고 하더구나."

종혁은 그렇게까지 말하지 않았다.

"어, 어떤 미친 인간이요?!"

권아영의 얼굴이 하얗게 질렸다.

지금이야 이렇게 흘러가는 세월에 묻혀 있지만, 한땐 내로라하는 사업가나 정치인도 허리를 굽히게 만들었던 인물이 바로 아버지 권회수다.

가족에겐 호랑이 그 자체.

꼬장이 이루 말할 수가 없고, 이 집에선 그의 말이 법이었다.

그래서 언니 내외, 소영이도 쉽게 찾아오지 못하지 않던가.

"있다. 그런 못된 놈이. 고얀 놈이."

'훗날 손자손녀에게 자랑스러운 할아버지가 되어 보는 건 어떠냐고? 허허, 미친놈.'

그런데 희한하게도 그 말이 마음을 움직였다.

늙은 몸을 움직일 명분이 되어 주었다.

'피눈물을 흐르게 한 죗값을 갚아 원한이 대물림되지 않게 해라…….'

권회수의 머릿속에 권아영과 소영의 맑은 미소가 떠올랐다.

'늙은 게지, 나도 늙은 게야. 그래서 그딴 말이 들리는

게지.'

그래도 죽어 갈 날짜가 오길 바라며 의미 없이 살아가는 것보다는 훨씬 나을 것 같았다. 아니, 벌써부터 몸이 달았다.

"아무튼 자리 만들 게야, 말 게야?"

"……비율은요?"

권아영의 표정이 싸늘해졌다.

어차피 아버지 권회수가 한번 한다고 마음먹은 이상 막을 수가 없다.

"아빠 말대로라면 합작 법인을 세워야 할 텐데, 비율은요?"

직원이 아니라 본인이 가진 돈도 출자한다.

권회수는 냉철한 그녀의 모습에 고개를 끄덕였다.

"구 대 일. 너희가 구다."

"……그, 그걸 받아들이셨다고요?"

권아영은 뜨악했다.

"설마 요새 깜빡깜빡……."

"주둥이!"

"……아, 알았어요. 일주일 안까지 법인이랑 자리 하나 만들게요. 하지만."

그녀의 표정이 다시 싸늘해졌다.

"참견은 용납 못 해요. 제 회사고, 제 스타일이에요."

"그럴 생각도 없다."

콧방귀를 뀐 권회수는 손바닥만 한 수첩과 휴대전화를

들었다.

권아영은 고개를 모로 기울였다.

"예, 박 원장. 나 권회수올시다. 혹시 날 기억하시오?"

-……어, 어르신!

뾰족하게 울리는 여성의 음성에 권아영은 더 의아해졌다.

하지만 그것도 아주 잠시였다.

"요즘도 불쌍한 아이들 거둬다 키우시오?"

"음?!"

-……흑!

울음을 삼키는 그 한마디는 참 많은 걸 말해 주었다.

"쯧쯧. 어쩌다가."

-모두 제 부덕이죠. 그런데 어쩐 일로 전화를 주셨나요?

"내 단도직입적으로 묻겠소이다. 세상에 올바른 어른들의 도움을 바라는 아이들이 참 많다더구려. 박 원장이 그 아이들 모두 거둬 보는 건 어떻겠소? 돈밖에 없는 이 늙은이니 박 원장이 원하는 만큼 돈을 내어 드리리다."

-어르신?

"아빠?"

그렇게 가출 청소년 쉼터 프로젝트에 시동이 걸렸다.

* * *

-그러하니 사흘 뒤에 오시게. 자네 대신 손발이 되어 줄 사람은 봐야지.

"예, 알겠습니다. 모레 뵙겠습니다."

-그래, 그때 봄세.

전화를 끊은 종혁은 혀를 내둘렀다.

이야기를 끝낸 지 단 하루밖에 안 됐는데, 벌써 쉼터로 쓸 건물과 원장이 되어 줄 사람을 구했다.

그것도 모자라 구청과도 이야기를 끝냈다.

다음 주 내로 가출 청소년 쉼터는 구청장의 축전을 받으며 문을 열 것이다.

"예상한 것보다 더 대단한 분이시네."

역시 잘 꼬드겼다는 생각이 들었다.

기분이 좋아진 그는 양손에 하나씩 든 난을 고쳐 들며, 오늘따라 어수선한 서울지방검찰청의 싸늘한 복도를 걸었다.

웅성웅성.

제법 넓은 사무실 안, 사무관들이 분주하게 움직인다.

가슴에 검사 배지를 단 검사 몇 명이 잘해 보자며 강철선과 악수를 나눈다.

"어? 최종혁 선수?"

"오, 반가워요. 나 형사 3부 서규선이에요."

인사를 건네는 검사들의 눈이 빛난다.

명예 수사관으로 임명되자마자 한 건 크게 터트리며 중수부장을 서울지방검찰청으로 소환하고, 차장검사를 로비까지 내려오게 만든 종혁.

"강 검사가 힘들게 하면 나한테 와요. 내가 더 잘해 줄 테니까.”

“아니, 내가 더 잘 해 줄…… 어, 그 난은?”

종혁이 든 난을 알아본 검사들이 눈을 더 빛냈다.

“헉! 이 귀한 걸 어떻게?”

혼란스러워하는 그들의 모습에, 씩 웃은 종혁은 왜인지 씩씩거리는 강철선에게 난을 내밀었다.

“영전 축하드려요.”

“영전은 무신…….”

“그래도 조직범죄보단 경제 범죄가 낫죠.”

“그건 맞제.”

모두 종혁 덕분이다.

이렇게 종혁의 말처럼 영전을 한 것도, 가족이 평화로운 것도 모두 종혁 덕분이다.

‘이 은혜를 우째 갚아야 하노.’

아마 평생 갚아도 못 갚을 것이다.

그런 마음을 표현하고 싶지만, 방해꾼들이 있었다.

“다들 안 갑니까? 축하 다 했으면 가이소, 이제.”

“닥치고 있어 봐. 허어, 내가 이걸 직접 보게 되다니.”

“크. 이 분홍 꽃의 영롱한 자태!”

강철선은 미간을 좁혔다.

“이런 풀떼기가 뭐 좋다고…….”

혀를 찬 강철선이 손을 확 뻗었다.

“조심해!”

“……깜짝아. 뭡니꺼?”

강철선은 재빨리 난의 밑에 손을 가져다 댄 검사들을 하찮게 응시했다.

"이게. 야, 강 검사! 그게 얼마짜린 줄 알아?!"

"싸울래, 이 자식아!"

"와, 와 이랍니까?"

종혁은 당황하는 그의 귀에 대고 난의 가격을 말했고, '히익!' 하고 새된 소리를 낸 강철선은 양손으로 공손히 난을 받아 들었다.

다른 검사들도 재빨리 도왔다.

파르르 떨리는 손은 난을 내려놓고 나서야 멈췄다.

"뭐, 뭔 난이 내 월급보다 비싸노? 미쳤나! 돈이 어디 있어가 이 비싼 걸……."

강철선은 입을 다물었고, 검사들은 눈을 빛냈다.

'냄새도 잘 맡는데, 돈까지 있다?'

'맞아. 몰래카메라 때 금감원에서 전화가 왔지?'

검사들의 눈이 더 빛나자, 아차 했던 강철선은 이내 가슴을 폈다. 이미 들켜 버린 이상 플랜 B였다.

"쯧. 뭘 이런 걸 다 가져왔나. 니캉 내캉 이런 사이가?"

그는 그렇게 말하며 슬그머니 종혁의 어깨에 팔을 두르며 보란듯이 검사들을 응시했다. 검사들의 눈이 부러움으로 일그러졌고, 강철선의 콧대는 더 높아졌다.

"다들 일 안 합니꺼? 부장님 쫓아옵니데이."

"……쯧."

"아이고, 부럽다. 난 저런 거 선물해 주는 사람 없나."

검사들이 미련 가득한 발길을 억지로 떼며 나가자 흐흐 웃던 강철선은 종혁을 툭 치며 검지와 중지를 입에 가져갔다.

둘은 옥상으로 향했다.

"푸후."

1월 말 겨울의 싸늘한 바람이 불어와 담배 연기를 흩어버렸다.

종혁은 고개를 모로 기울였다.

"왜 그러세요?"

영전을 했는데도 강철선의 얼굴이 밝지 않다.

'아, 설마?'

"걱정이 되시는 거예요?"

움찔!

강철선은 피식 웃었다.

"내 속에 들어왔나? 닌 참 가끔 보면 점쟁이가 따로 없데이."

"하하."

점쟁이가 아니라 이해하는 거다.

종혁도 지능범죄수사대로 옮길 때 강철선과 똑같은 걱정을 했었다.

"맞다. 평생 조폭이나 살인범만 잡던 놈이 대가리 쓰는 놈들을 잘 잡을 수가 있을지 걱정이 된다. 아니."

'나 때문에 억울한 피해자가 생기지 않을지 걱정을 했지.'

"내 때메 억울한 피해자는 안 생길랑가 걱정이다."

종혁은 푸근히 웃었다.

'이래서 좋아합니다.'

범인을 잡는 것보다 피해자부터 생각하는 그의 마인드를 말이다.

"아버님이라면 잘 해낼 수 있을 거예요. 저도 있는 힘껏 도울게요."

"나도 못 믿는 내를 믿나?"

"제가 보아 온 아버님을 믿는 거죠."

"글나."

강철선은 피식 웃었다.

아들뻘의 말이지만, 가슴에 놓인 짐이 가벼워진다.

'그래. 이리 진심으로 믿어 주는 사람이 있는데, 못난 모습을 보여야겠나?'

무조건 해내야겠다며 강철선은 다짐했고, 종혁은 변화하는 그의 눈빛에 고개를 끄덕였다.

그러다 강철선이 짓궂게 웃었다.

"근데 날 제대로 도울 수나 있겠나? 니 이제 일주일 남았데이."

"아?"

인턴으로 있을 수 있는 시간이다.

그리고 곧 고 3의 시작이었다.

"우야노. 이제 니 좋아하는 수사 못 하겠네. 내가 힘 좀 써 볼까?"

"아, 그게……."

지이잉!

종혁은 미간을 좁혔다.

"받아라."

"예, 잠시."

몇 발 물러선 종혁은 전화를 받았다.

"예, 최종혁입니다."

-보스, 접니다.

"태규 씨?"

-작전 세력을 하나 발견해서 연락드렸습니다. 넥스트를 흔들려고 하더군요.

"넥스트를요?"

넥스트는 종혁이 태규에게 시켜 지분을 매입하라 말한 포털 사이트이다. 훗날 한국의 양대 포털 사이트 중 하나가 될 곳.

-보스가 훗날 법조인이 됐을 때 내밀 커리어와 영전하신 강 검사님을 위한 축하 선물이 될 듯한데…… 오지랖이었습니까?

"……아뇨."

왜 갑자기 작전에 대해 말하는지 의문이었던 종혁의 입가에 미소가 번진다.

"정말 잘 말하셨습니다."

'그렇지 않아도 어떻게 말해야 할지 고민했는데 잘됐군.'

한국 닷컴 버블 때 활개를 치며 많은 이들을 도탄에 빠트린 사기꾼들과 작전 세력들.

경찰보다 먼저 움직이는 일이 거의 없는 게 검사이다 보니, 이들의 존재를 어떻게 알려야 하나 걱정을 했는데 돌파구가 생겼다.

'그래, 검사는 이런 불편함이 있지.'

혐의가 있으면 얼마든지 자율적으로 조사할 수 있는 형사와 달리, 사건에 치이는 검사들은 쉽게 움직이기가 힘들다.

'태규 씨가 이런 식으로도 도움이 되는군.'

미소가 더 짙어진 종혁은 전화를 끊으며 강철선에게 다가갔다.

"아버님. 아니, 검사님. 지금 대가리 쓰는 놈들을 어떻게 하면 제대로 털 수 있을지 감이 잡히지 않으시죠?"

강철선의 고개가 끄덕여졌다.

혐의의 입증부터 어려운 경제 범죄.

벌써부터 골치가 아팠다.

경제범죄형사부는 서울지방검찰청의 일등 부서이자 위로 향하는 필수 코스지만, 양날의 검이기도 했다.

"와? 방법이 있나?"

"표적 수사 한번 해 보실래요?"

"……응?"

강철선의 눈이 동그래졌다.

6장. 키다리 친구?

키다리 친구?

달그락.

원래라면 분 냄새와 웃음소리로 떠들썩해야 할 고급 주점.

블루 톤의 어스름한 조명 아래 삼십대부터 육십대까지 다섯 명의 남자가 앉아 있다.

생각이 많아 보이는 조용한 분위기를 깬 건 삼십대의 사내였다.

"돈이 참 좋아요. 수백만 원짜리 술도 이렇게 함부로 마실 수 있고."

얼음도 없이 글라스에 가득 채워진 호박빛의 꼬냑.

평소라면 엄두도 못 낼 일이다.

남성들의 눈이 흔들렸다.

"어떻습니까. 돈 벌기 참 쉽죠?"

그 말에 남성들의 얼굴이 발갛게 달아올랐다.

벌써 투자한 돈의 네 배를 벌었다.

그동안 그들이 한 일이라고는 돈을 넣은 것밖에 없다.

돈 놓고 돈 먹기. 돈 벌기가 너무 쉬웠다.

"다들 백만장자가 된 소감 한번 말해 보시죠? 먼저…… 가장 연장자이자 철강 기업을 운영하시는 김 사장님?"

째진 눈, 백발이 성성한 노인이 입꼬리를 비틀었다.

"아직은 얼떨떨하군. 평생 자동차 고철이나 만지던 놈이 이런 거금을 벌었는데, 제정신일 것 같나?"

"어이구, 중개업으로 그동안 재미 좀 보셨을 텐데 겨우 이 정도로…… 아차, 이건 비밀이죠?"

김 노인은 폐차장뿐만 아니라 밀항한 중국인과 조선족에게 일자리를 알선해 주는 일을 한다.

"하여튼 주둥이."

"합! 지익!"

지퍼를 채우는 시늉을 하자 김 노인은 더 이상 말하지 않았다.

갑작스레 대검이 중국인과 조선족을 타깃으로 삼아 후려치기 시작하면서 고객이 뚝 끊긴 상태였는데, 눈앞의 사내 덕분에 돈 걱정을 하지 않게 되었다.

"일단 자네한테 술 한 잔 찐하게 주고 싶군. 황 대리. 고마워."

증권사의 펀드매니저인 황종수. 그가 이 판을 짠 설계자였다.

"어이구. 눈먼 돈이 눈앞에 왔다 갔다 하는 걸 못 참은 것뿐인데요, 뭘. 자, 다들 보셨죠? 이게 바로 주고받는 정이란 겁니다!"

남성들은 그의 넉살에 못 말리겠다는 듯 고개를 저었다.

"캬아! 좋다. 자, 이제 마지막 말을 해 주시죠!"

"내 돈 잃으면 죽여 버릴 거야."

"으하하하핫!"

그는 모를 것이다.

김 노인의 말은 어디까지나 진실이란 걸 말이다.

그걸 모르는 황종수는 다른 이들에게 소감을 물었고, 그때마다 한 잔씩 가득 받았다.

"모두 잔들 드시죠!"

남성들이 잔을 들며 눈을 초롱초롱 빛냈고, 황종수가 크게 외쳤다.

"우리의 목표는 무엇?"

"다섯 배!"

"고렇쉐! 우린 딱 다섯 배만 먹고 빠지는 겁니다! 이런 판은 앞으로도 많으니까 아쉬워 마시고. 자, 위하여!"

"위하여!"

채재쟁!

"어후. 이제 승리자들끼리 화끈하게 놀아 볼까요? 마담! 아가씨들 들어오라고 해!"

스르륵!

문이 열리며 옷감이 많이 부족한 드레스를 입은 여성들이 들어왔다.

"안녕하세요!"

콧속을 파고드는 분 냄새에 눈이 붉어진 남성들은 마음에 드는 여성들을 향해 손을 뻗었고, 곧 질펀하고 떠들썩한 술판이 벌어졌다.

* * *

"이름. 황종수. 나이 34세. 한울증권 대리급 펀드매니저로서 소위 작전이라 부르는 주가조작을 설계한 설계자로 판단됩니다."

블라인드가 쳐진 강철선 검사실의 회의실 겸 탕비실 겸 취조실.

하얀 스크린에 삼십대 남성의 증명사진이 나타났다.

놀랍게도 종혁이 동강 난 당구 큐대로 남성을 가리키며 발표를 한다. 종혁은 프로젝터와 연결된 노트북의 키보드를 두드렸다.

물음표가 새겨진 그림이 나타났다.

"황종수 외 가담자는 약 4명으로 추측. 황종수가 술에 취해 말하는 걸 직장 동료가 들었다고 합니다."

"와? 그놈아들은 모르나?"

"차명 계좌를 쓰는 것 같습니다. 그리고 이들이 현재 운영하는 자금은 약 100억으로 추정."

종혁은 어이없었다.

'미래에 시총이 조 단위인 넥스트가 100억에 이렇게 되

다니.'

너무 어이가 없어 웃음만 나왔다.

그러나 강철선은 달랐다.

"배, 백억?!"

조리 있고 당당하게 브리핑하는 종혁을 흐뭇하게 바라보던 강철선과 수사관들이 뒤집어졌다.

100억이면 웬만한 사기꾼들조차 명함을 못 내미는 액수였다.

"일명 폭탄 돌리기를 해서 100억까지 불어난 거지, 초기 자본은 한 사람당 5억 정도밖에 안 됩니다."

강철선은 헛웃음을 터트렸다.

"5억이 뉘집 애 이름이가?"

5억이면 한강이 보이는 강남의 고급 아파트 두 채를 사고도 남는 돈이다.

"허, 이놈아들 사이즈 크네."

조직원이 수십 명씩 있는 조폭이라면 이해가 되지만, 주동자 포함 고작 다섯 명이다. 이제야 경제 범죄의 사이즈를 이해한 강철선은 혀를 내둘렀다.

"그렇습니다, 검사님. 이 정도는 돼야 저희 중앙에 어울리는 사이즈죠."

"그렇제?"

종혁은 흥분하는 그들을 보며 입술을 비틀었다.

"겨우 이 정도로 놀라시면 곤란한데요."

"와?"

"정보 제공자가 말한 바에 따르면, 이놈들 최소 아홉 배까지 해 먹을 수 있다고 합니다."

정보 제공자는 박태규와 권&박 홀딩스의 직원들이었다.

"이, 이백억?"

"정확히는 225억이지만, 그 이상은 따라붙는 개미들 때문에 힘들 거라고 하더군요."

종혁도 그렇게 판단했다.

'초기 자본이 적기 때문에 폭탄 돌리기로 부풀릴 수 있는 주가도 적어. 현 주가와 똑같은 액수가 수혈된다면 몰라도 그게 아니라면 추격하는 개미들을 막을 수 없다. 아니, 태규 씨를.'

러시아 모라토리엄으로 발생한 돈의 폭격.

그러면 그들은 닭 쫓던 개가 되는 거다.

"그런데 만약 이들이 7배나 8배 고점에서 주식을 던져 버리면?"

모두의 시선이 종혁을 보았다.

"……우째 되는 기고?! 퍼뜩 말해 봐라!"

"꽤 많은 사람들이 한강 물 수온을 체크하게 될 겁니다. 본인 몸으로."

"……."

강철선과 수사관들의 입이 다물어졌다.

"계장님."

"멱살을 잡아서라도 영장받아 오겠습니다."

"정호야."

"수사관들 대기시키겠습니다."

"종혁이 니도 갈 끼제?"

"당연하죠."

그들의 몸에서 열의가 피어올랐다.

"저, 그런데……."

사람들이 여성 사무관을 보았다.

"입증은 어떻게 하죠? 황종수가 컴퓨터를 포맷해 버리면요?"

"그거야 당연히 포렌식으로…… 아."

중얼거리던 종혁은 아차 싶었다.

'아직 디지털 포렌식이 발명되지 않았을 시기구나! 이런 낭패가!'

미래 첨단 수사 기법인 디지털 포렌식.

이게 발명된 이후 컴퓨터 포맷은 더 이상 의미가 없어졌다.

"포렌식? 그기 뭐꼬?"

"……복구 프로그램이요."

"아, 글나? 그럼 됐네."

"응? 그거 인터넷으로 작업한 것도 복구해? 아닐 텐데?"

사람들의 표정이 심각해졌다.

그건 종혁도 마찬가지였다.

그는 황종수가 할 수 있는 모든 가능성을 따져 봤다.

"음. 증권사에서 거래를 했다면 서버에 거래 내역이 남을 테지만, 만약 아니라면……."

종혁의 중얼거림을 들은 강철선은 번뜩 고개를 들었다.
"정호야, 일단 황종수의 친인척, 친구, 지인까지 다 뒤져 봐라."
"숨겨 둔 부동산이 있는지 확인하라는 거죠?"
정확히는 이번 범죄에 쓰이고 있을, 있을지 없을지 모르는 공간이다.
"예! 알겠습니다. 뒤도 밟을게요."
"오야. 그렇게 하고…… 절대 들키지 마래이."
그가 경제범죄형사부에 와서 처음으로 하는 사건이다.
맡은 것도 아니라 그가 주도하는 표적 수사.
실수로 어그러진다면 능력을 의심받을 수밖에 없다.
"걱정 마십시오. 절대 가까이 가지 않겠습니다."
"믿는데이. 그리고……."
강철선이 둘러보자 회의실에 있는 사람들이 입에 지퍼를 채우는 시늉을 했다.
강철선은 고개를 끄덕였다.
"아무래도 단디 준비해가 한 번에 몰아쳐야 할 것 같심더. 그때까지 입단속 부탁드립니더."
"예!"
"그리고 김 양. 나이스."
"호호."
짝!
"자, 그럼 해산!"
사람들은 우르르 일어섰고, 종혁은 그걸 보며 생각에

잠겼다.

'디지털 포렌식이라…… 흠. 뭔가 있었던 것 같은데.'

한참을 고민하던 종혁은 혀를 찼다.

떠오르는 게 없었다.

"뭐하노? 배 안 고프나?"

"아, 예!"

종혁은 생각을 접으며 몸을 일으켰다.

* * *

부우웅.

달리는 차 안, 종혁이 차창 밖을 보며 생각에 잠긴다.

'내일인가.'

사람을 깐깐하게 봤을 권회수가 선택한 인물을 만나는 날이자, 권회수가 직접 고른 가출 청소년 쉼터 1호를 보는 날이다.

내일, 권회수의 배포를 알 수 있을 것이다.

"도착했어."

"여기예요?"

"어제 퇴근하자 끝나자마자 쪼르르 달려와 저기로 들어가더라. 603호, 월세. 명의는 자기 동생 거."

"간도 크네."

4차선 대로에 있는 8층 건물에 가족 명의로 사무실을 얻었다.

간이 부었다고 봐야 했다.

"이건 뭐 조폭 놈들과 비교하면 너무 쉬우니, 원. 달건이 놈들이 조심성이 많은 건지, 황종수가 조심성이 없는 건지."

황종수는 미행조차 눈치채지 못했다.

아니, 가끔 뒤를 돌아봤지만 그때뿐이었다.

"얼마 전까지 일반인이었는데요, 뭘."

그리고 범죄의 유형이 다르기에 행동거지도 다를 수밖에 없다.

그렇다 쳐도 둔한 축에 속했다.

'안 들킬 자신이 있는 건지, 아님 그냥 간땡이가 큰 건지.'

"여기 말고는요?"

정호는 고개를 저었다.

"깔끔해."

외가 육촌까지 모두 훑었지만 별다른 정황은 발견하지 못했다.

모두 평범하게 사는 서민이었다.

"난 놈이란 소리지."

"그것도 작전에 성공해야 난 놈이죠."

"푸흐. 맞네. 그나저나 문제는…… 저 안을 들여다봐야 한다는 건데."

작전을 펼치는 현장임을 확인해야 한다.

무작정 덮쳤다가 아니라면 일이 어그러진다.

그런데 좋지 않은 일을 하는 건 아는지 유리창이 불투명이었다.

고전 방식인 유리창 닦이는 텄다고 봐야 했다.

'그러게. 골치 아프네.'

"씁. 또 이사 떡을 돌려?"

"이사 떡?"

종혁은 작전 개요에 대해 설명했고, 정호는 그 참신한 생각에 입을 떡 벌렸다.

"이야, 안기부도 그런 방법은 생각하지 못했겠다. 그런데…… 그런 인형이 진짜 있냐? 진짜 달링 알러뷰 해? 곰 인형이?"

"……화이트데이 때 형수님께 가져다드리면 좋아하실 거예요."

"허험. 아직 형수는 아니고."

"어때요, 괜찮지 않아요?"

"그걸 말이라고 해?"

종혁은 됐다며 주먹을 쥐었다.

하지만 한국 사람 말은 끝까지 들어 봐야 했다.

"음. 그런데 종혁아. 미안하지만 작전비 없다. 월세면 돌려받지도 못하잖아."

'이런 씨?'

그놈의 작전비. 지겹도록 들은 작전비. 예산.

"아니, 무려 서울지검인데 작전비가 모자라요?"

"우린 뭐 공무원 아니냐?"

정호는 담배를 물며 서글프게 웃었다.

"에라이……."

백 퍼센트 공감이 가는 애환이라 더 짜증이 났다.

"됐습니다. 제가 사비로……."

벌컥! 탁!

누군가 뒷좌석에 탔지만, 둘 다 놀라지 않았다.

오히려 올라탄 인물이 깜짝 놀랐다.

"어, 괜찮아. 우리 팀 신입이야."

"아…… 반갑습니다. 고성수입니다."

노숙자를 연상시킬 만큼 썩은 내를 풀풀 풍기는 삼십대 사내.

옷차림도 노숙자, 거지의 그것이지만 눈빛이 맑고 선했다.

정호의 정보원이었다.

'아, 부럽다.'

"자자, 소개팅은 나중에 하시고. 어때?"

청년이 씩 웃었다.

"제가 누굽니까. 다 알아 왔죠. 계량기 돌아가는 거 보니 여기가 맞는 것 같습니다. 일단 최소 8명이 상주하는 것 같은데 그중 한 명은 만날 술을 마시는 것 같고, 한 명은 소식을 하는 것 같고, 한 명은 꼴초에……."

종혁과 정호는 놀랐다.

굉장히 디테일한 정보였다.

"아니, 그걸 어떻게 아신 겁니까? 혹시 안에 들어가 보신 거예요?"

정호도 적극 고개를 끄덕였다.

노숙자의 콧대가 높아졌다.

"에이. 이 정도 정보야 안에 들어가지 않아도 다 알죠."

'그 정도 능력을 지닌 인물이라고?'

정말 그렇다면 무조건 스카우트이다.

'미리 사과드립니다, 형님!'

정호에겐 정말 미안하지만 스카우트를 해야 됐다.

그가 만들려는 정보 단체에 필요한 인재였다.

종혁의 몸이 달았다.

"어, 어떻게요?"

"오늘 점심을 중국집에서 시켜 먹던데요?"

"네?"

'중국집? 배달?'

종혁은 이마를 쳤다. 고전을 잊고 있었다.

"크흐. 잘했어. 역시 네가 돈값을 하는구나."

"흐흐. 제가 이 정도입니다, 형니임……."

"형님."

"음?"

정호와 노숙자가 대화를 멈추며 종혁을 봤다.

종혁의 얼굴은 진지했다.

"지금 당장 그 중국집으로 가 주세요. 빨리."

돌파구가 생겼다.

* * *

정찰 및 침투의 고전 방식이자, 초임 발령받은 애송이

형사에게 베테랑 사수가 가장 처음에 알려 주는 잠복 수사 시 정찰의 정석.

배달원으로 위장하기.

이게 고전이자 정석인 이유는 그 누구도 배달원의 얼굴을 잘 보지 않기 때문이다. 일상에 깊숙하게 침투해 있기에 그 누구도 의심하지 않는 확실한 신원, 철가방.

'철가방 하나면 전국 어디든 들어가지 못할 곳이 없지.'

철가방은 거의 만능열쇠나 다름없다.

"아이고, 이 어려운 시기에 어려운 일 하시느라 어려움이 많으십니다."

육십대 중반 노인이 정호와 종혁의 손을 쓸어내린다.

"아닙니다. 당연히 해야 할 일을 하는걸요."

정호와 종혁은 속으로 웃었다.

일이 쉽게 풀리고 있었다. 이제 배달 전화를 받은 후 배달원으로 위장해 들어가기만 하면 됐다.

'정말 이놈은 이쪽 일을 하기 위해 태어난 건가?'

베테랑 수사관인 그도 바로 생각지 못했던 일. 물론 시간이 좀 더 있었다면 생각했겠지만, 이걸 바로 생각해 낸다는 건 결코 쉬운 일이 아니었다.

이건 타고난 거다.

정호는 부럽다는 듯 보았다.

그런데.

"허어. 그런데 이걸 어쩌나……."

"예? 왜, 왜요?"

"우리 가게 내놨는데……."

쿵!

모두 눈을 부릅떴다.

"어, 어째서?! 아니 조금만 더 해 주시면 안 되겠습니까?"

"후우. 저도 그렇게 하고 싶지만 자식 놈이 사고를 치는 바람에…… 당장 두 시간 뒤에 가게 볼 사람이 온다고……."

그래서 점심 장사까지만 하고 가게 문을 닫았다고 한다.

낯빛이 어두워진 둘은 잠시 물러났다.

"하, 이걸 어떡하면 좋냐."

난관에 봉착했다.

"우리 검사님이 부장님에게 사건 넘겨받기 전에 끝내야 하는데."

화려한 신고식.

부장검사가 전혀 다른 보직으로 인사이동한 강철선을 배려하고자 준 5일의 적응 기간. 못해도 내일 점심까진 가시적인 결과를 내야 했다.

"다른 식당을 찾아야 하나."

결국 그 방법밖에 없었다.

"일단 움직이죠."

* * *

"하아."

없다. 대로변에 사무실이 많은 동네라 식당이 많지만,

거의 배달을 안 한다. 중국집도 마찬가지였다.

돌고 돌아 다시 처음 온 중국집이었다.

'하긴 이 시대 땐 이랬지.'

미래처럼 집에서 한식, 양식, 분식, 디저트 등 모든 종류의 요리를 맛볼 수 없는 시기, 먹으려면 직접 찾아가야 하는 시대다.

"야! 이런 건 진즉에 파악했어야지!"

"부탁하시지도 않았잖아요!"

종혁은 티격태격거리는 둘을 보며 어떻게 해야 하나 생각에 잠겼다.

그러다.

'어? 잠깐!'

종혁은 아주 중요한 사실 하나를 생각해 냈다.

그러곤 허탈하게 웃었다.

"한상원 잡을 때 했던 생각은 어디 간 건지."

모텔이 아니라 비싼 원룸까지 잡아 놓고.

이 모든 건 회귀 전 언제나 돈에 쪼들리며 범인을 잡았기 때문이다. 그 습관과 관념의 잔재가 아직까지 남아 있는 것 같았다.

종혁의 가슴이 뻥 뚫리는 걸 느꼈다.

"후. 어쩔 수 없네요."

'배달하는 곳이 없다고? 그게 뭔 문제야?'

"뭐를……."

종혁은 대답 대신 몸을 돌려 중국집 안으로 들어갔다.

그리고 노인 앞에 섰다.

"아직 도장 안 찍으셨죠? 그럼 제가 인수하겠습니다."

"네에?"

다급히 따라온 정호까지 경악하며 종혁을 봤다.

그에 종혁은 입술을 비틀었다.

배달하는 곳이 없다?

배달하는 곳을 만들면 된다.

시간?

돈으로 사면 된다.

이젠 그럴 돈이 있었다.

아주 많은 돈이.

'이제 내 사전에 부족한 작전비, 예산은 없어. 없는 거야!'

무한대의 작전비. 짜릿한 전율이 온몸을 관통했다.

그렇게 종혁은 각성을 했다.

"얼맙니까? 얼마면 됩니까?"

사람들은 이글거리는 그 눈을 보며 입을 헤 벌렸다.

* * *

–니 미쳤나! 돈이 썩어 넘치나, 이 문디 자슥아!

종혁은 재빨리 귀에서 휴대전화를 뗐다.

그러다 잠시 후 잠잠해지자 다시 귀에 가져갔다.

"괜찮아요. 어차피 다시 팔면 되는걸요."

–그러다 안 팔리믄? 우짤낀데! 쌩돈 날리는 거 아이가!

쩌렁쩌렁 울리는 소리에 정호는 고개를 저었다.

'쌩돈은 이미 날렸습니다, 검사님.'

그나마 저녁 배달이 되는 식당이나 야식집, 족발집, 모두에 전화를 걸어 근처 경찰서, 파출소, 고아원, 그리고 야자를 하는 고등학교까지 배달을 보내 버렸다. 그 모든 식당 전부 앞으로 몇 시간은 주문에 치어 허덕일 것이다.

배달을 받는 곳들은 모두 두 팔 벌려 환영했다.

'오늘이 주문이 안 오면 올 때까지 그렇게 한대요. 이 새끼 진짜 미쳤어요.'

정호는 눈물을 삼켰지만, 종혁은 태연했다.

-닌 진짜 미칬다. 아니, 세상에서 제일가는 미친놈이다. 겨우 안에 사람 있나 뭐 하나 확인한다꼬 중국집을 인수한다는 게 사람이 할 생각이가?

'겨우가 아닌데.'

종혁이 노리는 넥스트에 작전을 벌이는 놈들이다.

이건 기회였다.

보통 작전을 펼치기 위해선 어느 정도 이상의 주식을 확보해야 된다. 그래야 허수 주문으로 폭탄을 돌릴 때 추격 매수하는 이들의 방해를 받지 않을 수 있기 때문이다.

그 어느 정도 이상의 주식.

'폭탄 돌리기의 폭탄은 시한폭탄이지.'

때가 되면 무조건 터지는 폭탄. 이들의 거래를 막아도 비상식적으로 상승한 주가가 폭락하는 건 막을 수 없다.

그때 그 모든 양을 매입한다면?

회수될 주식까지 이쪽에서 모두 먹는다면?

단숨에 넥스트의 대주주가 되면서 개미들의 피해도 최소화할 수 있다.

꿩 먹고 알 먹는 일이었다.

훗날 시가 총액이 조 단위인 넥스트의 대주주.

그걸 생각하면 중국집을 사들인 건 푼돈에 불과했다.

물 먹는 하마처럼 주식을 호가대로 매입하는 것도 말이다.

'물론 조정은 거쳐야겠지만.'

—내 말 듣고 있나!

"괜찮아요. 정 안 팔리면 임대하면 되죠."

—임대?

"부동산은 불패. 사 놓으면 다 재산이잖아요."

—……글나.

강철선의 성난 목소리가 풀어졌다.

—큼. 다음에는 절대 그러지 마라. 내 부담스러워서 어디 일 시키겠나?

"하하. 알겠습니다. 그럼 곧 증거 가지고 들어갈게요."

—술 한잔하게 퍼뜩 오래이.

전화를 끊은 종혁은 정호를 보며 고개를 끄덕였다.

"하. 진짜 우리 검사님은 복 받은 분이다. 너란 복을. 이건 뭐 아낌없이 주는 나무도 아니고. 아니, 키다리 아저씬가?"

세상 누가 이런 돈을 투자하며 도울까.

"하하."

종혁은 머쓱해하면서도 아쉬워했다.

'그 빌딩과 좀만 더 가까웠어도 도청을 하는 건데.'

1999년, 발전이 되지 않은 기술이 아쉬울 뿐이다.

탕탕!

"자자, 간식들 드세요!"

주방에서 고성수가 고개를 빼꼼 내민다.

언제 씻었는지, 얼굴이 말끔했다.

매매계약을 맺은 후 원래 주인이었던 노인이 도울게 있냐, 싸게 돕겠다는 말에 그 돈을 자기에게 달라며 나섰던 고성수.

어차피 딱 한 번만 배달 가면 되기에 그러라고 했는데, 앞치마를 입은 태가 제법이었다. 노인이 일할 때 입었던 거라는데 그걸 입으니 아예 딴사람처럼 보였다.

"오, 이게 뭐야? 군만두네?"

"있던 면 반죽을 쓰긴 했는데, 먹을 만할 거예요."

"직접 만들었다고? 이걸? 모양새가 그럴듯한데?"

종혁도 놀랐다.

'손재주가 좋은데?'

역시 사람은 누구나 특별한 재주가 있다며 고개를 끄덕인 종혁은 군만두를 입에 가져갔다.

와삭!

마치 페스추리 과자처럼 가볍게 부서지는 만두피.

"……어?"

종혁은 당황했다.

그러다 보니 속내가 그대로 튀어나왔다.

“이거 왜 맛있어요?”

“……그러게. 이거 왜 맛있지?”

둘은 눈을 끔뻑이며 고성수를 봤다.

고성수는 머리를 긁적이며 쑥스러워했다.

“아, 제가 이십대 때 호텔 청식당에서 일해서요. 하하.”

“엥?”

문을 잠근 중국집에 침묵이 내려앉았다.

……띠리링! 띠리링!

“……!”

화들짝 놀란 종혁이 재빨리 카운터로 달려갔다.

“예, 중국집입니다! ……아, 죄송합니다. 오늘은 영업이 끝나서요. 다른 가게 사정이야 저희는 모르죠. 네, 들어가세요.”

종혁은 정호를 보며 고개를 저었고, 정호는 혀를 찼다.

둘은 고성수를 보며 눈을 빛냈다.

이제부터는 시간 싸움이다.

언제 배달 주문이 올지 모르는 시간 싸움.

그 시간을 보내는 데는 남의 이야기가 최고였다.

그 포문을 정호가 열었다.

“너 정말 호텔에서 일했어? 어떻게?”

“아, 그게 원래는…….”

띠리링! 띠리링!

‘……에이씨.’

중요한 도입부가 끊겼다.

종혁은 신경질적으로 전화를 받았다.

"예, 중국집입니다! 네?! 어디요?"

종혁은 재빨리 손을 저었다.

-603호라고요! 603호!

"네. 죄송합니다. 네. 네네. 알겠습니다. 감사합니다."

종혁이 전화를 끊자 정호가 눈으로 물어 왔다.

고개를 끄덕인 종혁은 고성수를 봤다.

"성수 씨, 탕수육도 할 수 있어요?"

……씨익.

고성수의 입가에 미소가 지어졌다.

"유린기, 난자완스, 칠리새우 다 됩니다."

* * *

땅깡, 땅깡.

흔들리는 검은 봉지 안에서 소주병들이 부딪친다.

"으흥."

조용한 복도를 걷고 있는, 안경 낀 삼십대 초반의 사내는 603호라 적힌 철문의 손잡이를 잡았다.

덜컹!

뜨거운 공기가 맞이해 주는 컴퓨터 몇 대만이 전부인 사무실.

한구석에 놓인 침대들과 팬티만 입은 채 돌아다니는 8

명의 남성이 이질적이다.

그러나 사내는 익숙하다는 듯 중앙 테이블에 봉지를 올렸다.

"배달 시켰어? 어디다 시켰어?"

"짱개."

"점심에 먹었는데?"

"몰라. 다른 곳은 오늘 뭔 날인지 다 두 시간 뒤에나 된대."

"돈을 아주 갈퀴로 쓸어 담는구먼. 선배님은?"

"오늘 못 온대."

"또?"

"일이 있나 보지."

컴퓨터를 하고 있는 사내 중 한 명의 말에 술을 사 온 사내는 이죽거렸다.

"일은 개뿔. 또 어디서 아가씨 끼고 양주 빨고 있겠지. 이거 진짜 너무한 거 아니냐? 우린 사람 아니야? 확 씨발, 그냥 지금 던져 버리고 튀어?"

"돈은? 안 받으려고? 이거 던져도 우리가 출금 못 한다."

사내는 입을 다물었다.

일이 끝난 후 준다는 돈이 무려 5천만 원이다.

삼십대 초반에겐 너무도 큰돈.

또 이번뿐만 아니라 다음에도 계속 불러 준다고 했다.

백수인 그에겐 너무 큰 유혹이었다.

'범죄면 어때. 걸리지만 않으면 되지.'

걸리지 않은 선에서 끝낼 테니 양심의 가책도 없었다.

부모에게 일하고 있다고 거짓말이라도 할 수 있어서 참 좋았다.

“하, 동아리 선배만 아니면 진짜. 아, 나도 얼른 그런 술집에서 술 마시고 싶다!”

“나도!”

모두가 똑같이 외치자 그는 키득키득 웃으며 옷을 벗었다.

‘두고 봐. 내가 돈 벌면 보자.’

아직도 백수냐며 무시하던 대학 친구들.

그 좋은 대학, 좋은 학과 나와 놓고도 백수냐며 무시하던 친구들. 여태껏 IMF 핑계를 대며 애써 자존감을 지켰지만, 이젠 아니다. 돈 앞에서 변할 그들의 눈빛을 떠올리니 벌써부터 짜릿했다.

쿵쿵쿵!

“왔다!”

그는 황급히 달려가 문을 열었다.

그리고 깜짝 놀랐다.

그건 철가방을 들고 있던 종혁도 마찬가지였다.

팬티 바람.

‘사무실인데 팬티 바람?’

마스크를 쓴 종혁은 뒤로 물러나 문에 박힌 호수를 다시 확인했다.

“배, 배달시키셨죠?”

"……중국집? 전에 오셨던 분이 아닌데? 워씨, 뭐 이렇게 커?"

"아, 그 형님 그만뒀어요. 아무튼 603호 맞으시죠?"

"어어. 들어와."

안으로 들어간 종혁은 더 어이가 없어졌다.

'이건 또 뭐야? 여기가 니들 집 안방이야?'

"여기다 내려놔."

종혁은 테이블에 철가방을 올려 그릇을 뺐다.

회귀 전, 하도 해 본 일이라 물 흐르듯 자연스러웠다.

내뱉는 말도 말이다.

"그런데 여긴 무슨 회사기에 이렇게 늦게까지 일해요? 다른 곳은 다 퇴근했는데."

사내들의 표정이 굳었다.

"왜?"

목소리에 날이 섰지만, 종혁은 태연했다.

"아니. 이렇게 늦게까지 일하시는 게 부러워서…… 저도 검정고시 따면 이런 곳에서 일할 수 있을까요?"

"……검정고시? 자퇴?"

사내들의 표정이 삽시간에 풀렸다.

풀리다 못해 어깨까지 펴지고 종혁을 한심하다는 듯 보았다.

'그래. 내가 이런 놈보다는 낫지.'

종혁은 모른 척 말을 이어 갔다.

"아, 혈맹게임 작업장인가?"

"뭐 작업장?"

종혁은 사내 세 명이 앉아 있는 컴퓨터를 가리켰다.

요새 가장 인기 있는 온라인 게임인 혈맹 속 기사 캐릭터가 몬스터를 사냥하고 있었다.

"몇 랩이에요? 몇 검에 몇 세트예요? 쩔 해 줄 수 있어요?"

'저 새끼들 때문에, 아오!'

방금 전 선망으로 가득했던 눈이 '너희도 나랑 똑같구나' 하는 동급으로 취급하고 있다.

고등학교를 자퇴한 놈이.

"저건 그냥 쉬는 시간에 하는 거고!"

"근데 왜 이런 차림으로……."

"어후. 너 주식이라고 아냐?"

"네?"

"우리가 몇 백 억을 움직이는지 알면…… 아니다. 됐다. 너같이 무식한 놈한테 뭘 말하겠냐. 가라."

"……맛있게 드세요. 그릇은 밖에 두시고요."

얼굴을 일그러트린 종혁은 씩씩거리며 사무실을 빠져나왔다.

그렇게 건물을 빠져나온 순간, 종혁의 표정이 차갑게 가라앉았다. 그는 휴대전화를 꺼냈다.

"예. 확인됐습니다. 여기 맞아요."

―……이럴 거면 와 중국집을 인수한 기고. 하이고, 아까버라.

'문안까지 들어갈 수 있는 곳이 중국집뿐이라서요.'

대부분의 배달 요리는 문 앞에서 넘겨받는다.

종혁은 이것까지 감안해서 중국집을 인수했다.

"하하. 운이 좋았죠. 아무튼 내일 장 열릴 때 덮치면 될 것 같습니다."

-수고했데이. 언능 온나. 밥 묵자.

"옙!"

전화를 끊은 종혁은 중국집으로 향하다 멈췄다.

"근데 이 새끼들. 바본가?"

조심성이 중학교도 졸업 못 한 조폭보다 못하다.

종혁은 어이없어하며 발을 뗐다.

* * *

다음 날 아침, 건물 6층 복도에 정호를 위시한 이십여 명의 수사관들이 섰다.

"다들 방검복 챙겼습니까?"

대답 대신 고개를 끄덕이는 수사관들.

"들어가면 본체부터 확보하는 겁니다."

"예."

603호 철문에 귀를 가져다 댄 정호는 휴대전화를 들었다.

"6층 두꺼비집 내리세요."

곧 복도 천장의 전등이 점멸했다.

악! 뭐야!

씨발, 이거 왜 이래! 정전이야?

정호는 철문을 두드렸다.

쿵쿵쿵!

"그릇 가지러 왔습니다!"

"뭔 개소리야! 어제 내놨는데!"

"없어서 그럽니다! 문 좀 열어 주십시오! 장사해야 됩니다!"

"에이씨……."

끼이익!

정호는 문을 여는 사내의 눈이 점점 커져 가자 그 목을 후려쳤다.

"켁?!"

목을 잡으며 쓰러지는 사내.

정호는 그의 머리를 옆으로 젖히며 문안으로 뛰어들었다.

"덮쳐!"

"뭐, 뭐야!"

우르르 몰려 들어오는 사람들의 모습에 사내들은 엿 됐음을 직감했다. 그들은 재빨리 컴퓨터로 달렸다. 정호는 기겁하며 외쳤다.

"컴퓨터 지켜요!"

"으랏챠!"

몸을 날리며 사내들을 걷어 내는 수사관의 무자비한 발길질.

"아아악!"

20여 명의 수사관들의 주먹에, 사내들은 순식간에 제압되어 무릎이 꿇려졌다. 곧 불이 다시 들어오고 컴퓨터를 켠 정호는 휴대전화를 들었다.

"예, 검사님. 컴퓨터 확보했습니다."

* * *

"오야, 수고했데이."

전화를 끊은 강철선이 한울증권 건물을 올려다본다.

그의 뒤로 10명의 수사관들과 종혁이 서 있었다.

"갑시다."

저벅, 저벅, 저벅.

분위기가 심상치 않은 사람들이 로비를 진입하자 경비원이 다가오다 수사관이 내미는 수사관증을 보곤 물러서며 다급히 무전기를 든다.

"저 있네."

넓은 사무실. 바삐 움직이던 사람들이 그들의 등장에 동작을 멈췄지만, 안쪽 황종수는 전화하기 바빴다.

종혁과 강철선은 사무실을 가로질렀다.

"아씨, 장 시작인데 왜 전화를 안 받는 거야? 이 새끼들 어제 술 펐나?"

강철선은 등을 보인 채 발을 동동거리는 황종수의 어깨를 두드렸다.

"황종수 씨?"

"누구……."

"서울지방검찰청에서 나왔습니다."

눈을 부릅뜬 황종수는 다급히 키보드를 향해 손을 뻗었지만, 그보다 종혁이 빨랐다.

"어딜."

종혁이 황종수의 뺨을 후려쳤다.

쩌억! 쿠당탕!

종혁은 어이없어하는 강철선을 향해 씩 웃었고, 좀 있다 보자며 눈을 부릅뜬 강철선은 황종수의 초점 없는 눈앞에 영장을 내밀었다.

"황종수 씨. 요 영장 보이지요? 지금부터 당신을 체포합니데이. 당신은 묵비권을 행사할 수 있고……."

대박을 꿈꾸던 황종수는 그렇게 체포되었고, 황급히 달려오던 한울증권의 임원들은 망연히 그 모습을 지켜봤다.

* * *

어두운 취조실.

강철선과 황종수가 마주 앉아 있다.

"종수 씨. 우리 쉽게쉽게 가입시더. 종수 씨는 공범 말해서 죄 노나 받고, 난 후딱 끝내서 편히 쉬고. 서로 윈윈이지요?"

"……."

"이해했다고 생각할게요? 이름?"

"……."

마치 바람을 넣은 풍선처럼 한쪽 볼이 부푼 황종수는 입을 다물었다. 아니, 이를 악물며 절대 말하지 않겠다는 의지를 보였다.

강철선은 히죽 웃었다.

그는 일어서 정장 상의를 벗고 소매 단추를 풀었다.

"하, 이놈의 범죄자 새끼들은 꼭 이런다. 존댓말로 해주면 지가 상전인지 안다. 와? 이대로 다물고 있으면 백마 탄 왕자님이라도 나타날 것 같나?"

황종수의 눈동자가 흔들렸다.

정답이었다.

친구 아버지가 남부지청의 부장검사이다.

뭔가 있음을 캐치한 강철선의 미소가 더 험악해졌다.

"우야노. 여긴 중앙이고, 난 그딴 거 신경도 안 쓰는 미친 개새낀데. 인마야, 내가 와 검사 됐는지 아나? 니 같은 범죄자 새끼들 합법적으로 패려고 검사 된 기다."

스읍. 강철선은 옆에 세워 둔 죽도를 들었다.

"일단 좀 맞자."

그러며 뒤로 젖혀지는 죽도.

황종수의 낯빛이 하얗게 질렸다.

"자, 잠깐!"

빠아악!

"악!"

취조실 안에서 매타작이 벌어졌다.

그리고 취조실 한쪽 넓게 설치된 거울 유리 뒤, 종혁은 푸핫 웃음을 터트렸다.

“와, 아버님 화끈하시네.”

같은 공간에 있던 사람들도 풋 웃음을 터트렸다.

벌컥!

문이 열리자 고개를 돌렸던 사람들이 다급히 자세를 바로 했다.

“충성!”

경제범죄형사부의 부장검사였다.

부장검사는 거울 너머 취조실을 보았고, 파랗게 질린 정호는 다급히 변명을 하려고 했다.

“재야? 강 프로 첫 작품이?”

신경도 안 쓰는 모습에 사람들은 가슴을 쓸어내렸다.

“예. 일이 터지기 전 검거해서 다행이지, 만약 터졌다면 엄청난 경제 손실과 인명 피해가 일어났을 겁니다.”

종혁이 나서서 설명하자 부장검사의 눈이 빛났다.

“아이구. 반가워요, 최 선수. 최 선수가 이번 검거를 위해 막대한 사재를 출연했다는 건 들었어요. 고맙고 미안해요. 예산만 넉넉했어도 민간인의 도움을 받지 않았을 텐데…… 어휴. 내 얼굴이 다 뜨겁습니다.”

종혁은 다 이해한다는 듯 푸근히 웃었다.

“뭘요. 공무원 예산이 적은 건 누구나 아는 사실인 걸요. 그래도 제 미력한 행동이 도움이 됐다니 다행입니다.”

"허헛."

'고작 한 번의 정찰을 위해 그 많은 돈을 태우다니.'

그 대범함과 실행력, 생각이 대단하다.

배달이 되는 다른 가게들 전부에 주문을 넣었다는 대목에선 이마를 칠 수밖에 없었다. 이 일로 그 동네 경찰서와 소방서, 학교 등에서 고맙다는 전화가 들어왔다.

"그리고 저런 놈들은 이제부터 계속 생기게 될 겁니다."

"계속?"

부장검사의 눈이 빛났다.

종혁도 눈이 빛났다.

"제 자산을 관리해 주시는 펀드매니저께서 요새 주식시장이 이상하다고 하더라고요."

한국 닷컴 버블 때 서민들의 배를 갈라 제 배를 채운 작전 세력과 사기꾼들. 그런 이들을 잡기 위해선 부장검사부터 허락해야 된다.

"이상하다……?"

일평생 가난하게 산 종혁으로 하여금 돈을 이렇게 서슴없이 쓰게 만든 인물이 한 말이다. 관심이 갈 수밖에 없었다.

"너무 과하게 과열되고 있다고 합니다. 그렇게 되면."

"……작전 세력과 사기꾼들이 판치죠. 나도 요새 주식시장이 이상하다는 걸 인식은 하고 있었어요."

"그렇습니까?"

부장검사는 고개를 끄덕였다.

'강 프로가 싸고 도는 이유가 있군.'

그 누가 이런 인재를 사랑하지 않을까.

'이런 식견과 범인을 잡기 위해 자기 사재까지 출연하는 이런 사람이 검사가 되어 내 밑에 들어와야 하는데.'

그는 아쉽다는 듯 입맛을 다셨다.

욕심을 내는 사람이 많았다. 이번 일로 더 그렇게 됐다.

"이거 좀 더 관심 있게 지켜봐야겠네."

'됐다!'

종혁은 속으로 활짝 웃었다.

"그나저나 관건은 저놈이 언제 부냐는 건데."

믿는 구석은 이미 차단했다.

부장검사의 말에 종혁도 거울 너머를 보며 눈빛을 가라앉혔다

범죄 조직을 일망타진하는 데 가장 중요하고 필요한 건 첫 검거자의 협조이다.

협조가 늦으면 늦을수록 일망타진의 확률은 낮아진다. 자칫 풀어 줘야 하는 상황이 벌어지기도 한다.

"저놈이 곤조가 있으면 나가리 될……."

-악! 말하겠습니다! 다 말할게요!

종혁을 비롯한 이 공간에 모인 사람들 전부 입을 다물었다.

"없네요, 곤조."

'에라이.'

종혁은 헛웃음을 터트렸다.

* * *

치이잉. 기이잉!

기름 냄새와 쇠 냄새가 가득한 공간.

더 이상 달릴 수 없는 자동차에서 심장이 적출되고, 달려든 사람들이 강렬한 불꽃이 드리우며 쓸 만한 것들을 떼어 낸다.

그러다 더 이상 뗄 게 없어진 자동차는 커다란 압착기로 향한다.

"오라이! 조심! 오케이!"

콰앙! 콰자작!

비명을 지르며 구겨지는 자동차.

얼굴에 기름때가 가득한 18세 소년이 잠시 손을 멈추며 그 모습을 지켜본다.

짜악!

"악!"

"흐흐. 왜? 너도 저기 들어가고 싶냐?"

움찔!

엉덩이를 때린 덩치 큰 사내의 말에 소년은 고개를 돌렸다.

그는 장난으로 말했지만, 결코 장난처럼 들리지 않는 말.

사내의 검게 탄 꾀죄죄한 얼굴에 난 흉터는 오늘도 소년의 심장을 내려앉게 했다.

삐익!

"오, 벌써 점심이야? 가자. 늦으면 국에다만 먹어야 해."

사내는 재빠르게 달렸고, 남겨진 소년은 망설이다 그 뒤를 쫓았다. 그렇게 도착한 컨테이너 박스 앞, 흙먼지와 녹슨 쇳가루가 풀풀 날리는 야외에 플라스틱 테이블이 펼쳐져 있고, 먼저 도착한 어른들은 이미 막걸리 술판을 벌이고 있다.

배식 판에 음식을 받은 소년은 또래 소년 두 명이 앉은 테이블에 앉았다. 마치 이 테이블만 다른 공간에 있다는 듯 조용했다. 아니, 겁에 질려 있다.

"으하하핫!"

"하하핫!"

흠칫!

어른들 웃음소리에 소년은 몸을 움츠렸다.

또래 소년들도 마찬가지였다.

서로를 본 그들은 고개를 숙였다.

도망치고 싶다. 하지만 무섭다.

희망이라곤 1년만 버티면 풀어 주겠다는 저들의 말.

꺼끌꺼끌한 쌀밥이 목구멍을 힘들게 넘어가자 소년은 핑 도는 눈물에 고개를 숙였다.

'엄마…….'

왜 가출을 했을까.

아니, 돈을 벌 수 있다며 접근한, 모르는 사람의 말에 왜 넘어갔을까.

후회가 가득한 숟가락질은 오늘도 너무 무거웠다.

"지미럴! 왜 전화가 안 돼!"

안쪽 컨테이너 사무실에서 걸어 나온 김 노인의 외침에 소년들은 다급히 고개를 숙였다.

"……이 새끼 설마 튄 건가?"

살기로 번들거리는 눈이 소년의 심장을 벤다.

본인을 향한 게 아님에도 소년은 공포에 떨었다.

"어, 박 사장. 난데 사람 하나 찾아 줘야겠어."

'또 누가 죽겠구나.'

몇 달 전 슈퍼에 가는 척 도망을 쳤다가 피투성이가 되어 끌려온 같은 처지의 형. 옆에서 양 발목에 족쇄를 차고 있다.

소년은 아예 식판에 고개를 묻었다.

"그래. 일단 공항이랑…… 어?"

'어?'

소년도 고개를 돌렸다가 놀랐다.

기름과 쇠, 녹슨 흙먼지만이 가득한 이곳과 어울리지 않은 사람들이 들어온다.

족히 스무 명은 되어 보이는 숫자에 폐차장 사장인 김 노인은 당황했다. 식사를 하다 뭔가 심상치 않은 걸 느낀 사내들이 일어서고, 수사관들이 그들을 향해 돌아서며 자세를 취한다.

일촉즉발의 그 순간.

"읏챠. 괜찮아. 괜찮아. 앉아."

그중 두 명의 뒤에서 접근해 어깨를 두르며 짓누르는 두꺼운 팔뚝.

종혁은 수사관증으로 그들의 볼을 두드렸다.

"이거 보이지? 가만히 있어? 그럼 안 다친다."

눈앞에 수사관증이 드리워지자 사내들은 그대로 얼어버릴 수밖에 없었다. 김 노인도 식겁했다.

'짜, 짭새? 짭새가 왜?'

수사관들은 헛웃음을 터트렸고, 강철선은 이마를 잡았다.

"마! 니는 밖에서 대기하라 캤제!"

"하하. 사랑합니다!"

"쪼옴-! ……하아."

머리를 벅벅 긁은 강철선은 김 노인을 향해 영장을 펼쳤다.

"김득수 씨? 이거 보이시죠? 당신을 금융관리법 위반으로 체포합니데이."

김 노인은 모든 걸 이해했다.

'씨발! 안 들킬 거라더니!'

"뭣들 해! 막아!"

그 외침에 종혁에게 잡힌 두 명이 가장 먼저 반응했다.

"씨발! 뒈져!"

부웅!

턱과 명치를 향해 휘둘러지는 팔꿈치들.

"종혁아!"

빼벅!

"크악!"

"……."

막기 위해 움직이려던 김 노인의 부하들이나 수사관들 모두 얼굴을 잡고 물러나는 두 명을 멍하니 봤다.

순식간에 물러서서 내뻗어진 그림 같은 원투.

종혁은 그대로 땅을 박차며 김 노인을 향해 달려들었다.

그리고 도망치려 몸을 돌리다 '어? 어?' 하며 눈이 동그랗게 커지는 김 노인의 허리를 잡았다.

"자, 잠……."

부우웅! 쿠당탕!

폐차장에 다시 침묵이 내려앉았다.

방금 사람이 사람을 머리 위로 던져 버렸다.

"크에엑."

"음. 살았네."

다행히 죽지 않은 김 노인의 머리를 밟은 종혁은 아직도 얼어 있는 사람들을 보며 고개를 모로 기울였다.

"뭐 해요? 검거 안 해요?"

"……줘이라!"

"우아아아아!"

"잡아!"

"재껴!"

폐차장에 한 편의 액션 활극이 벌어졌다.

"니 거기서 한 발짝이라도 움직이면 정숙 씨한테 전화한데이."

"……네."

종혁은 입술을 삐죽였다.

* * *

혹시 몰라 조폭도 때려잡는 베테랑 수사관들만 데려왔다.

진압은 순식간에 이뤄졌다.

"하이고 마. 이거 허리 뿌사진 거 아이가?"

"아무래도 척추까지 나간 거 같은데요."

"글나? 김득수 씨? 움직일 수 있겠어요?"

"끄어어."

김 노인은 대답할 정신이 없었다.

"……구급차 불러라. 송장 치우겠다."

"예."

"……확 마. 저 새끼를 그냥! 아오!"

다급히 시선을 피한 종혁은 어린 소년들이 모여 있는 곳으로 향했다. 양 무리가 맞붙자마자 다급히 도망쳤다가 수사관들에게 끌려온 소년들.

종혁은 그들의 꾀죄죄한 몰골과 푸석한 피부, 불안과 안도로 흔들리는 눈을 보며 설마 했다.

"……설마 너희 여기 잡혀 온 거야?"

움찔!

몸을 움츠린 소년들은 갈등을 하다 고개를 미약하게 끄덕였고, 그들을 지키던 수사관들은 화들짝 놀랐다.

“서울역이나 터미널에서 누가 일자리 소개시켜 준다고 접근했어?”

소년들의 눈이 동그래졌다.

“그래. 당연하지.”

종혁은 이마를 잡았다.

수사관들도 마찬가지였다.

갈 곳 없는 애들을 소개시키고 커미션을 받는 브로커들과, 그런 애들을 헐값에 부리는 악덕 업주들.

이 시기는 이런 나쁜 어른들이 횡행하던 시기였다.

“후우. 그래. 이제 집에 가자.”

울컥!

소년들의 눈에 눈물이 차올랐다.

하지만 그들은 따라오라는 종혁의 손짓에도 발을 떼지 않았다.

방금 전까지 간절하게 가고 싶었던 집이지만, 막상 가려니 발이 떨어지지 않았다.

‘……빌어먹을. 그럼 그렇지.’

이렇게 험한 꼴을 겪었음에도 가기 싫은 집인 거다.

“이놈의 새끼들이! 야, 너희 집에 안 갈 거야? 지금쯤 부모님이 얼마나…….”

“됐어요.”

종혁은 손을 뻗어 일장 연설을 하려는 정호를 말렸다.

왜 말리냐는 듯 그의 얼굴이 일그러지자 종혁이 싱긋 웃었다.

"제가 이야기할게요. 같은 말이라도 형처럼 무섭게 생긴 사람이 말하면 역효과예요."

"풉!"

다른 수사관들이 웃음을 터트리자 정호의 얼굴이 달아올랐다.

"……맘대로 해!"

정호가 쿵쿵거리며 떠나자 종혁은 혀를 찼다.

"저, 저, 저러니 아직까지 결혼 못했지."

"풉!"

이번엔 소년들 사이에서 웃음이 터져 나왔다.

씩 웃으며 고개를 돌린 종혁은 바닥에 널브러진 음식물들을 힐끗 보며 눈을 빛냈다.

그리고 소년들을 보며 최대한 선한 미소를 지었다.

"배고프지? 뭐 좀 먹을래?"

소년들은 고개를 끄덕였다.

* * *

아직은 현장을 벗어날 수 없기에 근처 슈퍼에서 먹을 걸 사 왔다. 눈치를 보던 아이들은 이내 허겁지겁 빵과 우유를 들이켰다.

"……흑!"

"흐윽!"

더 이상 눈치 보지 않아도 되는 식사는, 빵과 우유는 너무 달았다. 소년들은 눈물을 뚝뚝 흘렸다.

'그래. 너희가 뭔 죄가 있겠냐.'

이들을 보호하고 이해하지 못한 어른들의 잘못이었다.

종혁은 그들이 울음을 멈출 때까지 기다렸다가 입을 열었다.

"많이 놀랐지?"

소년들은 고개를 끄덕였다.

"솔직히……."

"솔직히?"

종혁은 뒤를 보며 눈치를 보는 소년에 손을 저었다.

"괜찮아. 저 아저씨는 신경 쓰지 않아도 돼."

'저 자슥이!'

자식이 있는지라 걱정되어 왔던 강철선이 혀를 차며 물러났다.

눈치를 보던 소년이 다시 입을 열었다.

"솔직히 처음엔 그 사람들이 온 거라고 생각했어요. 이번엔 정말로 팔려 가는 건가 했어요."

"그 사람들?"

"중국 사람들이요."

종혁의 눈이 커졌다.

'이건 또 뭐야?'

"……자세히 말해 볼래?"

멀찍이 떨어져 있던 강철선의 귀도 뾰족 솟았다.
소년은 용기를 내어 말했다.
"밀입국? 알선? ……호오, 그래?"
"왜, 왜요? 이거 말하면 안 되는 거예요?"
"아니. 잘했어. 네 덕분에 저 영감탱이 깜빵에서 장례치를 수도 있겠다. 이름이 뭐야?"
"선호요, 한선호!"
소년 한선호의 눈이 동그래졌다.
다른 소년들도 마찬가지였다.
"그런데 정말이죠? 정말 사장님 이제 안 볼 수 있는 거죠?"
"아마 그렇겠지?"
"그럼 다른 나쁜 일이 저지른 게 있으면 더 오래 사는 거예요? 영원히?"
종혁은 눈을 빛냈다.
내부자 고발이 아닌 내부자 고발이었다.
"왜? 또 뭐가 있어?"
선호는 힘차게 고개를 끄덕였다.
"우리 사장님, 조폭처럼 무섭게 생긴 사람들 자동차도 몰래 폐차시켜요. 몸에 문신 있는 사람들이요."
종혁의 눈이 더욱 빛났다.
김 노인의 죄가 더욱 늘어나고 있다.
"호, 그래? 문신 있는 사람들?"
"네. 최근엔 손목에 문신이 있는 사람이 맡기고 갔었어요."

움찔!

"……뭐?"

손목의 문신. 종혁이 예민하게 반응했다.

"저거요!"

사각형으로 압착되어 쌓인 고철 블록들 가장 위에 있는 하얀색 블록.

'서, 설마?!'

종혁은 다급히 몸을 일으키려다 말았다.

아니겠지만, 손목에 문신이 있는 사람이 한둘이 아니지만, 어쩌다 생긴 우연이겠지만.

정말이라면, 정말 그 조직이 쓴 차라면.

함부로 살필 수 없다.

지문, DNA를 비롯해 혹시 남아 있을 증거를 훼손할 수 있다.

'그래, 이거였다! 차!'

96년도 사건과 이번 김 의원 사건의 차이는 바로 차량이었다.

정확히는 그 안에 있을 지문이나 DNA 증거.

96년도야 어디에 버려졌는지 몰라 자연 훼손됐을 것이니 무의식이 외면한 증거. 하지만 일이 벌어진 지 아직 한 달도 채 지나지 않은 지금은 아니다.

'이 병신이!'

형사였단 놈이 가장 기본적인 걸 잊고 있었다.

그런 주제에 뭔가 다른 게 있다고 자빠져 있었다.

"검사님!"
"와?!"
"중수부에 하나만 물어봐 주세요. 김 의원 운반책이 쓴 차량의 종류가 뭔지! 혹시 조사됐는지!"
"갑자기 그건 와……?"
종혁의 말에, 종혁의 손을 따라간 강철선은 낯빛을 굳혔다.
갑자기 촉이 서기 시작했다.
"그놈 얼굴은? 얼굴은 기억해?!"
한선호를 붙잡은 종혁은 간절했다.

* * *

띠이! 띠이!
"조심! 조심!"
중수부가 말하길 김 의원 때 쓴 차량은 흰색 엘란트망이었다고 하고, 소년 한선호가 말한 차도 흰색 엘란트망이었다.
혹시나 하는 마음에 트럭을 끌고 온 중수부는 하얀색 사각 고철 블록을 회수했다.
종혁은 강철선에게 인사를 하고 떠나는 중수부 검사들을 보며 눈을 가늘게 떴다.
'지문이라도 나오면 좋을 텐데.'
DNA 증거는 압착되면서 발생한 쇳가루로 인해 오염됐

을 게 뻔했다. 남은 건 지문이었다.

'솔직히 지문도 아슬아슬해.'

밀폐된 공간이 아니라 흙먼지 바람이 부는 야외에 방치되었다.

지문도 훼손됐을 확률이 높았다.

"하늘에 맡기는 수밖에 없겠네."

"종혁아! 가제이!"

종혁은 몸을 돌렸다.

* * *

"뭐? 가출 청소년 쉼터? 그기 뭐꼬?"

종혁은 가출 청소년 쉼터에 대해 설명해 주었다.

"그래 좋은 곳이 생겼나? 근데 으음."

원래라면 부모님을 소환해야 한다.

법적으로 미성년자는 보호자의 참석 아래 조사를 받아야 하기 때문이다. 그리고 가출 청소년은 집에 돌려보내야 했다.

"집에 보낸다고 해도 다시 가출하지 않을 거라고 보세요?"

종혁의 말이 옳다.

이렇게 실종 신고가 됐을 만큼 오랫동안 가출을 한 청소년은 대부분 다시 가출을 한다.

"집에 온전히 돌려보내려면, 아이들에게도 마음을 추

스릴 시간이 필요하지 않을까요? 스스로 돌아갈 마음이 생길 때까지."

미래, 정부가 가출 청소년 쉼터를 설립한 의의가 바로 이것이다.

험한 사회에서 고생하지 말고, 안전한 곳에서 쉬다가 돌아가라.

강철선은 움츠리고 있는 소년들을 봤다.

돌려보낸다는 말에 엉덩이를 들썩거리고 있다.

도망치려는 듯 문을 계속 힐끔거리고 있었다.

'하이고. 이 문디 자슥들.'

하지만 그 마음은 이해한다.

조폭들을 때려잡던 때, 멋모르고 조직에 들어가 후회하는 아이들을 종종 봤기 때문이다. 잠깐의 일탈이 돌이킬 수 없는 상황으로 이어져 결국 깜빵에 들어간 아이들.

그렇게 지옥에 떨어지고 나서야 부모 앞에 무릎을 꿇고 후회의 눈물을 흘렸다. 그 모습을 볼 때마다 이런 아이들을 보호할 수 있는 제도적인 장치가 있으면 얼마나 좋을까 생각했었다.

"니들 그기 잘 있다가 집에 돌아갈 수 있겠나?"

움찔!

"……."

"하이고, 이 아름답게 순박한 문디 자슥들아. 이럴 땐 아니라도 그러겠다고 말해야 하는 거 아이가? 고추에 털 난 놈들이 뭔 거짓말도 못 하노?"

"네! 그, 그럴게요!"

"그럴 수 있어요!"

"치아라."

강철선은 종혁을 봤다.

"할 수 있겠나?"

"저 못 믿으세요?"

종혁의 눈은 진지했다.

"……알았다. 함 해 봐라. 부모는 내가 카바해 줄게."

종혁은 활짝 웃었다.

"감사합니다. 실망시키지 않을게요."

"됐다. 아, 근데 그런 대단한 일을 하시는 분이 누꼬?"

"권회수 어르신이요. 명동의 돈 귀신."

"……?!"

* * *

부우웅!

정호가 운전하는 봉고차 안.

어색한 기류가 흐르고 있다.

'흠. 지금쯤 한창 뜯어 보고 있겠네.'

중수부 일이다. 국과수는 다른 어떤 일보다 그걸 우선시할 터였다.

그보다 종혁의 머릿속을 가득 채우는 건 한선호가 기억

해 낸 손목에 문신이 있는 남성의 몽타주였다.

옆얼굴에, 선글라스와 마스크로 얼굴을 가렸기에 인상착의는 물론이고 나이도 알 수 없지만, 그 윤곽은 뼈에 새기듯 기억해 뒀다.

'만나서 반갑다, 새끼야!'

절대 종혁과 어머니를 죽인 그놈은 아니지만, 손목 문신과 향수로만 찾아야 했던 막막한 상황에서 윤곽이라도 얼굴이 드러났다.

이 정도면 충분히 만족할 수 있었다.

다만 폐차장이나 주위에 CCTV가 없다는 게 짜증이 났다.

'정부는 언제 CCTV를 보급하는 거야?'

종혁은 한숨을 내뱉었다.

"저…… 형. 고맙습니다."

"뭐가?"

"저흴 구해 주시고…… 그리고……."

차마 입에서 떨어지지 않는지 망설인다.

"부모님에게 돌려보내지 않은 거?"

한선호를 비롯한 아이들은 자그맣게 고개를 주억거렸다.

안도하는 소년들의 모습에 마음이 썩 좋지 못하다.

'쯧. 얼마나 부모님이 무섭고 집이 싫으면…….'

"그렇게 고마워하지 않아도 돼. 난 기회를 주는 것뿐이니까."

"……기회요?"

"너희가 너희 스스로 생각할 수 있는 기회."

엄한 아버지든, 폭력적인 가정이든, 숨 막히는 분위기든, 어떤 이유를 견디지 못해서 가출을 결심했다.

충동적이라도 스스로 생각하고 실행에 옮겼다.

그렇다면 세상을 마주할 자격을 얻은 것이다.

"마주할 자격……."

"부모님의 보호 아래 미래를 준비하는 아이들보다 일찍 세상을 마주해 버린 너희들이 스스로 미래를 준비할 시간. 아무것도 모른 채 사회에 던져진 너희가 준비할 시간. 나, 그리고 어르신은 그 시간을 주는 거야."

"시간……."

"그 시간 동안 집으로 돌아갈 준비를 할지, 아니면 사회인으로 살아갈지, 그도 아니면 이대로 도태될지는 너희들의 결정에 달린 거야."

"도태요?"

"폐차장 인부들이 정상인, 일반인으로 보였어? 사리분별 못 하고 지 주인 명령에 검사와 수사관에게 눈 까뒤집고 달려드는 놈들이? 그게 생각할 줄 아는 사람, 지성체가 할 짓이야?"

"……."

"도태된다는 건 그런 거야. 남의 의지에 휘둘리는 삶을 사는 거, 상식 없는 삶을 사는 거. 누구 한 명 널 너 있는 그대로 바라보지 않는 삶을 사는 거!"

"야, 그거는!"

종혁의 말에 흐뭇이 웃던 정호가 화들짝 놀란다.

"회사원이나 공무원들도 퇴사를 할지, 이직을 할지, 잔류할지, 승진할지 다 자기 의지로 결정해요. 가정을 위해 희생하는 것도 다 스스로가 내린 결정이에요. 휘둘리는 게 아니라."

사회 구성원, 조직의 부품, 톱니바퀴, 모두 본인의 의지로 행동한다.

"……."

정호와 한선호, 다른 아이들은 입을 다물며 생각에 잠겼다.

그러는 사이 차는 목적지에 도착했다.

"와."

"허어."

종혁도 건물, 아니, 한창 내부 공사가 진행 중인 20층짜리 거대한 빌딩을 보며 경악했다.

"이게 쉼터라고? ……이게?"

미래의 가출 청소년 쉼터는 이렇지 않다.

폐교나 폐가, 값이 싼 주택을 리모델링하거나 이전 후 남겨진 동사무소나 경찰서 등 정부 소속 건물 정도였다. 정부와 지자체 예산에 한계가 있기 때문이다.

'와, 이 양반 통 진짜 크네.'

돈지랄이 뭔지 제대로 보여 주고 있다.

그의 배포가 얼마나 큰지, 그의 진심이 어느 정도인지

완전히 이해가 되었다.

'진심이구나! 이러면!'

만약 권회수가 생색만 낼 것 같았으면 건물을 사려고 했다. 마땅한 게 없으면 아예 원룸촌을 지으려는 생각까지 했었다.

하지만 그럴 필요가 없었다.

이렇게 마음 맞는 돈지랄은 얼마든지 환영이었다.

종혁의 입가가 꿈틀거렸다.

털썩!

"흑, 어르신."

"음?"

종혁은 조금 떨어진 곳에 주저앉은 작은 체구의 오십대 여성을 보며 움찔했다.

"감사합니다. 정말 감사합니다……."

'누구지?'

종혁이 의아해할 때, 공사 중인 건물 안에서 호통이 터져 나왔다.

"하자가 조금이라도 있으면 다신 날 못 볼 줄 알아! 알았어?!"

"걱정 마십시오, 어르신! 어떤 분 당부라고 허투루 할까요!"

"하여튼 능청만 늘어서는. 에잉."

하하 웃음소리를 뒤로하며 건물을 나선 권회수는 주저앉아 울고 있는 여성을 발견하곤 혀를 찼다.

"오는데 힘들진 않으셨는가, 박 원장."
"어르신!"
"어때, 마음에 드시는가?"
"마음에 들다 뿐일까요! 어떻게 이런 곳을! 어르신……!"
언제 퇴거 명령이 떨어질까 조마조마해하며 고아원을 운영했던 그녀로서는 대성통곡이라도 하고 싶은 심정이었다.
"하지만 이런 건물을 사시면 어르신께선!"
"허허. 돈 귀신 돈 걱정하는가? ……뭐 그래도 걱정 마시게. 나 말고도 이 뜻깊은 일에 출자한 재력가가 있으니. 음? 아, 저기 있구먼. 뭐 하시는가. 왔으면 오지 않고."
"음?"
권회수와 박 원장의 시선에 종혁은 고개를 모로 기울였다.

* * *

권회수가 가장 먼저 공사를 끝낸 상담실.
사무적이지 않고 파란색, 분홍색의 아기자기한 인테리어가 긴장을 풀게 만든다.
"처음 뵙겠습니다. 최종혁입니다. 그리고 이 애들은 이 센터의 1호 청소년들입니다."
사무실을 신기하다는 듯 둘러보던 아이들이 다급히 고개를 숙였다.

"아, 안녕하세요."

"그렇구나. 반가워. 이 아줌마는 박연자라고 해. 앞으로 잘 살아 보자."

움찔.

잘 살아 보자. 그 말이 소녀들의 가슴을 건드렸다.

종혁은 그녀의 단어 선택에 흥미를 드러냈다.

'익숙하군.'

호구 조사부터 하지 않은 부분도 마음에 든다.

"여기 박 원장은 스무 살부터 고아들을 위해 일생을 헌신한 사람일세. 나 같은 사람으로선 감히 평가할 수 없는 성인이지."

"어, 어르신……."

'호오?'

사람 보는 눈이 범상치 않을 권회수가 극찬을 한다.

"나를 버리며 남을 위해 헌신한다는 게 결코 쉽지 않은 일이셨을 텐데. 정말 훌륭한 일을 하셨고, 고생하셨습니다."

"아, 아니에요. 도와주시는 분이 많으셨는걸요. 그분들이 아니었으면 이렇게까지 하지 못했을 거예요."

"겸손하시네요."

더 마음에 들었다.

권회수도 흡족히 웃었다.

"이쪽은 유도 국가대표이자 금메달리스트인 최종혁 선수. 이 쉼터를 계획하며 이 뒷방 늙은이를 다시 사회로 끌어낸 못된 사람일세."

박연자의 눈이 동그랗게 뜨였다.

"젊으신 것 같은데 어떻게 이렇게 훌륭한 생각을……."

"이 아이들 같은 아이들이 눈에 밟혀서요. 저도 가출을 몇 번 했거든요."

정확히는 회귀 전이다.

손가락과 팔꿈치 인대가 끊어진 후 방황을 많이 했었다.

"네에?"

흠칫!

한선호와 소년들도 놀라 종혁을 보았다.

누가 봐도 단정하고 당당한 종혁이 가출을 했을 거라곤 생각지도 못했다.

"그때의 그 막막함, 누구 한 명 도와주지 않는 냉혹한 사회. 당연하다는 듯 정당한 노동의 대가를 떼어먹는 나쁜 어른들."

아이들의 얼굴이 일그러진다.

그들이 겪은 이야기이다.

종혁은 옆에 앉아 고개를 주억이는 한선호의 손을 잡았다.

"외로움과 공포, 답답함에 힘든 결정을 내렸을 이 아이들이 저와 같은 일을 겪지 않게 하려고 이 쉼터를 계획해 봤습니다. 아직은 보호를 받아야 할 나이잖아요."

"……훌륭하세요. 정말 훌륭한 생각이세요."

"오지랖이죠, 뭐."

상담실의 공기가 훈훈해졌다.

소년들은 이 분위기가 어색해 꼼지락거렸다.

그런 그들을 보며 종혁은 귀엽다는 듯 웃었다.

'이제부터 잘 들어 봐.'

"어르신."

"왜 그러시는가?"

"이렇게 큰 빌딩을 구입하신 이유가 뭡니까."

이미 알아차렸을 게 분명함에도 굳이 물어보고 있다.

권회수가 눈을 빛냈다.

"사람은 넓고 큰 곳에서 살아야 하기 때문일세. 그래야 품이 넓어지는 법이지. 준비도 안 된 채 냉혹한 사회에 던져진 이 가여운 아이들을 원룸 같은 닭장에서 지내게 할 순 없지 않은가. 안 그래도 움츠러진 가슴인데 그런 곳에서 살면 펴지기나 하겠나? 주위 시선은 또 어떻고? 이제 내 품에 들어온 새끼들이 그런 꼴을 당하게 둘 순 없어서 이랬네!"

움찔!

품 안에 들어온 새끼. 아이들의 눈이 흔들렸다.

종혁의 입가에 미소가 번졌다.

'이렇게 도움의 손길을 내미는 어른도 있어. 어른이라고 모두 너희를 괴롭히는 게 아니야.'

이 아이들을 케어하기 위해선 닫혀 있는 마음의 문부터 열어야 한다. 그러려면 이들에게 경험으로 쌓인 고정관념부터 부숴야 했다.

"저와 생각이 같으시네요. 잘하셨어요."

"흥."

"그러니 1층엔 무료 매점과 푸드 코트가 있으면 좋을 것 같습니다."

"매점? 푸드 코트?"

"돈 없는 이 아이들이 먹고 싶은 거 눈치 보지 않고 마음껏 먹을 수 있게. 과자나 음료부터 떡볶이, 피자, 치킨, 커피 모두."

소년들은 다급히 종혁을 봤다.

박연자 원장은 입을 떡 벌렸다.

"뭐 하시는가, 박 원장. 적지 않고."

"네? 예, 예!"

"다만 전문가의 관리하에 아이들이 운영에 관여했으면 좋겠습니다. 요리에 관심 있는 아이들도 있을 테니까요. 지원제나 당번제도 나쁘지 않고요. 물론, 대가는 지불해야겠죠."

무작정 보호하는 것보단 사회와 올바르게 돈을 버는 것에 대해 배웠으면 싶었다.

"조, 좋은 방법이에요!"

안전하게 노동의 대가를 받으며 사회를 배울 수 있는 기회.

그녀는 재빨리 메모를 했다.

"그리고……."

종혁은 한선호를 봤다.

"선호야, 너 취미가 뭐야?"

"저, 저요?"

"어. 너."

시선이 몰리자 얼굴이 빨개진 선호는 안절부절못하다 결국 입술을 달싹였다.

"……터요. 컴퓨터."

"게임?"

"아, 아뇨. 프로그래밍이요."

"진짜?"

종혁은 놀랐다.

선호의 낯빛이 어두워졌다.

"역시 형도 쓸데없는 일이라고 생각하죠? 노는 거라고. 하하."

'그런 거였나.'

왜 가출을 했는지 짐작이 된다.

"아니! 전혀!"

"네?"

"어렵고 비전 있는 걸 취미로 삼았다는 게 놀라운데?"

"어려운? 비전?"

"해가 거듭할수록 컴퓨터 산업은 진화하다시피 발전하고 있어. 예전엔 외국에 문서 하나 보내려고 해도 수십 일 걸리던 게 지금은 몇 초면 가능하지."

"메일……."

"온라인 게임은 또 어떻고? 당장 너 초등학교 때만 해도 이렇게 온라인에서 모여 함께 한 세상을 공유한다는 게 가능했었어?"

한선호는 고개를 저었다. 취미와 꿈에 동조를 해 주는 사람이 생겨선지 그의 눈빛이 빛나기 시작했다.

"그런데 이 정도에서 발전이 끝날까?"

"그, 그러지 않을까요? TV에서도 그러잖아요. 발전을 해도 조금만 더 발전할 거라고."

"전혀. 컴퓨터. 인터넷. 글로벌 세상은 이제부터 시작이야. 멀지 않은 미래엔 이 휴대전화에 컴퓨터가 담길 거고, 세계 반대쪽의 일도 침대에 누운 채 알 수 있게 될 거야. 전 세계인이 사생활을 공유하게 되겠지."

"그건 공상의 영역인데요?"

"과거의 공상이 지금의 현실이야. 옛날 공상 영화를 떠올려 봐."

"……아."

"그러면 이런 세상을 만들고 설계할 사람은 누굴까?"

"프로그래머?"

"그래. 앞으로 프로그래머는 너도나도 모셔 갈 직업이 될 거야."

선호는 입을 헤 벌렸다.

다른 이들도 마찬가지였다.

종혁은 박연자 원장을 봤다.

"컴퓨터 룸을 만들어야겠네요. 저녁엔 PC 게임도 할 수 있게. 일단 가볍게 곧 나올 팬티엄3 100대부터 설치하죠. 교수급 교사도 채용하시고요."

종혁이 가출 청소년 쉼터를 보며 아쉬워했던 점이 바로 이거였다.

보호를 하고 공부를 가르쳐 집에 돌아가거나 사회에 내보낼 준비를 시키지만, 아이들의 적성을 제대로 발달시키지 못했다. 모두 예산이 부족하기 때문이었다.

"네에?! 그, 그건……."

종혁은 망설이는 그녀를 외면하며 다른 소년을 봤다.

소년은 눈을 빛냈다.

한선호의 말에 적극 동조해 주던 모습이 용기를 내주었다.

"저는 만화 캐릭터를 그리는 게 좋아요……."

"오, 만화가."

좋은 직업이다. 미래엔 웹툰 작가들이 각광받는다.

"화구 세트와 만화가를 섭외하는 게 좋겠네요."

"최, 최종혁 씨!"

"넌?"

"저, 저는 바이올린이요! 하지만 가난해서……."

"바이올린 20대와 정교수급 교사를 섭외해 주세요. 아니, 오케스트라에 포함되는 모든 악기를 구매해 주세요. 성악 부분도!"

"어르신! 어르신이 뭐라고 좀 해 주세요! 이러면!"

망한다.

이 좋은 취지의 일이 꽃을 펴 보지도 못한 채 사라질

수 있다.

이런 일은 좋은 독지가, 키다리 아저씨들의 도움이 끊기면 바로 망한다.

"전 축구요!"

"축구도 좋지. 이 쉼터에 연습장을 만들어 주시고, 정기적으로 경기장을 대여할 수 있게……."

"어르시인!"

"껄껄껄! 놔두시게. 이리해도 바다에서 물바가지 하나 푸는 정도일 테니."

"……네?"

모두가, 분위기에 휩쓸려 말했던 소년들도 멍해졌다.

"현재 자산만 따져도 아마 삼전의 이 회장 정도는 될 테지, 아마?"

목에서 뿌득 소리가 날 정도로 돌려진 시선에 종혁은 어깨를 으쓱였다.

"개인 자산만 놓고 보면 그러지 않을까요? 음. 숨겨진 것까지 합하면 좀 부족하려나……."

사람들은 종혁을 멍하니 바라봤다.

종혁의 키다리 아저씨, 아니 키다리 친구는 이렇게 시작되었다.

7장. 잊힌 인재들

잊힌 인재들

파라라라라라!

10층의 주상복합 빌딩의 옥상에서 현수막 두 개가 펼쳐진다.

〈경 정혁빌딩완공 축〉

고정숙의 '정'과 종혁의 '혁'을 따서 정혁빌딩.

〈최소 16평. 월세 16만 원, 전세 3000만 원부터. 상가문의.〉

짝짝짝짝짝!

"축하드립니데이, 정쑥 씨!"

"축하드려요!"

강철선 일가, 소영이네, 수호네, 동일고 유도부, 준형이 형네, 김종두 반장과 특수본 형사들 등 종혁과 깊은 인연을 맺은 모든 이들이 참여한 자리. 우레와 같은 박수

속에서 고정숙의 눈가가 눈물에 젖어든다.

지난 약 20여 년간, 남편을 사고로 보낸 후 힘들게 종혁을 키워 왔던 세월이 그녀의 눈앞을 스쳐 지나간다.

'그 사람도 이걸 함께 봤으면 얼마나 좋을까.'

18살 꽃다운 처녀를 홀랑 낚아챘던 못된 남자의 얼굴이 떠오른다. 사과처럼 빨개진 얼굴로 수줍게 꽃을 내밀던 모습이 귀엽던 덩치 큰 도둑놈.

"이 좋은 날에 왜 울어."

"울기는 누가. 흥. 이 엄마 그렇게 나약한 사람 아니다."

"알지. 아무렴."

종혁은 어머니의 어깨를 끌어안았다.

160센티미터도 안 되는 작은 체구임에도, 얼마든지 새 사람을 찾아 다시 시작할 수 있는 젊은 나이였음에도, 끝까지 포기하지 않고 키워 준 어머니가 고맙고 존경스럽다.

'감사합니다, 어머니. 이제 꽃길만 걸어요.'

"이제 엄마도 새 출발해야지?"

"……됐어. 넌 그런 거 신경 쓰지 마."

"어? 반응이 좀 이상한데? 누구야? 어떤 놈팽이야?"

이제 좋은 분을 만나 엄마 고정숙이 아니라 여자 고정숙으로서 행복해지길 바라지만, 막상 그런 기미가 보이니 울컥한다.

"됐다니까. 이렇게 자리를 빛내 줘서 고마워요, 여러분."

종혁은 도망치듯 사람들 사이로 들어가는 어머니를 보

며 눈을 가늘게 떴다.

'뒤를 파 봐야겠군.'

좋은 사람이라면 인정을 해야겠지만, 아니라면.

'차라리 죽여 달라고 말하게 해 주지!'

종혁의 눈빛이 살벌하게 빛났다.

"요! 브로!"

"종혁아!"

"……와 줘서 고마워요, 형들. 음식은 입에 맞아요?"

종혁은 고사 음식뿐만 아니라 아예 호텔 출장 뷔페를 불렀다.

"겁나 맛있어!"

"대빵 맛있어! 와 씨, 이게 얼마 만에 먹는 고기야?"

양념 잘된 갈비 한 점에 세상 기쁘게 웃는 그들.

역시 단순한 형들이었다.

"응? 회사에서 밥 안 줘요?"

"다이어트!"

"우리 너무 먹는대!"

"아아."

드디어 데뷔를 하는 것 같았다.

"그런데 재는?"

키가 거의 종혁 본인만 한, 짧은 머리에 째진 눈, 물렁살의 덩치가 유도부원들과 함께 음식을 작살내고 있다. 누가 보면 유도부원이라 착각할 만큼 위화감이 없다.

"아, 재? 요, 재우-!"

눈을 동그랗게 뜬 재우가 쪼르르 달려왔다.

"재우, 인사해. 여긴 종혀기. 아마 동갑일걸?"

"아, 안녕?"

"몇 살?"

"19살. 빠른이긴 한데……."

종혁은 재우의 어깨를 잡아 힘을 주었다.

"악!"

"형이라고 불러라."

"……네, 형."

준형과 일행들이 피식 웃었다.

"아무튼 감 PD 쪽 앤데, 우리랑 함께하게 됐어. 성격도 좋으니까 우리 빼밀리 하려고! 아, 용준이는 배우로 데뷔하기로 했어! 혀기 연기 대빵 잘해!"

"하하. 그렇게 됐다."

대답하는 용준, 훗날 정혁이란 예명으로 활동하게 되는 이는 시원섭섭하게 웃었다.

'이런 거였나?'

이 그룹의 마지막 피스였던 메인 보컬 재우가 감진영 대표 소속이었다는 건 몰랐던 종혁이다.

"아, 그래요? 성격이 좋아요?"

"감 PD가 애한테 우리랑 친해지라는 미션을 줬거든? 그러니까 바로 자기 돈 모두 털어서 까까랑 밥 사 줬어!"

"상경하면서 가져온 전 재산이었대!"

"정말요?"

"형들! 아, 머리 헝클어져요!"

종혁은 놀랍다는 듯 재우를 봤다.

19살 어린 소년이 전 재산을 턴다는 건 굉장히 어려운 일이었다.

'이만큼 간절하다면 믿을 수 있지.'

그 덕분인지 완전히 저들 사이에 녹아들어 있었다.

'그렇다면…….'

종혁은 눈을 가늘게 떴다.

'이런 파이는 나눠 먹는 게 아니지.'

종혁은 조만간 정영탁 대표를 만나야겠다고 생각했다.

"앞으로 배고프거나 힘든 일 있으면 언제든 연락해."

"……네, 형. 근데 저 많이 먹는데."

"괜찮아. 내가 너보다 더 먹어."

언제나 배고픈 십대, 돈 앞에서 쿨한 종혁의 모습에 재우의 눈이 초롱초롱 빛나기 시작했다.

'머, 멋지다!'

재우는 꼭 친해져야겠다고 생각했다.

그런 그를 뒤로한 종혁은 김종두 반장을 찾았다.

"음식들은 입에 맞으세요?"

김종두 반장과 특수범죄수사과 형사들은 대답 대신 엄지를 치켜들었다. 넉살 좋고 수더분한 그 모습에 옛날 생각이 나 절로 웃음이 나왔다.

"크. 몇 년 전만 해도 수입조차 안 되던 오렌지를 이렇게 쌓아 놓고 먹을 수 있다니! 이 년 전에 우리들 고생시키던 맹랑한 꼬마가 이런 호강을 시켜 주다니! 역시 넌 뭐가 돼도 될 거라고 생각했다!"

"하하. 가실 때 오렌지 싸 드릴게요."

90년대 초중반 대한민국을 어지럽게 했던 야타족과 오렌지족.

그중 오렌지족은 한국에 수입이 안 되는 오렌지를 먹는다고 해서 오렌지족이라는 설이 있다.

"나야 고맙지!"

"특수 일은 좀 어떠세요?"

무슨 일인지 형사들의 표정이 묘하게 어두워졌다.

김종두는 환하게 웃었다.

"잘되지! 걱정 마라!"

'안 되는구나.'

대충 그럴 거라고는 예상했다.

대한민국에 발생하는 모든 형사 사건에 관여할 수 있는 권한을 가진 특수범죄수사과.

본청 광수대와 영역과 컨셉이 겹친다.

이른바 굴러온 돌이었다.

"그렇구나. 잘되는구나. 음……."

김종두 반장이 눈을 빛냈다.

학교 폭력 일진 소탕부터 송양자 사기 미수 사건, 파란 양말 신은 소녀 사건, 한상원 위치 제보 및 검거, 대검의 김 의원 사건과 이번 100억대 주가 조작 사건까지. 거의 사건을 몰고 다니다시피 한 종혁이다.

보통 일이 아닐 게 분명했다.

"왜? 뭐 걸리는 거라도 있어?"

"아니요. 바쁘지 않으시면 저기 강 검사님과 공조를 이루면 어떨까 했거든요."

"서, 서울지검의 영감님과?!"

"뭐, 바쁘시다면 어쩔 수 없고요."

턱!

김종두가 종혁의 손을 잡았다.

지리상의 특수성 때문에 정치, 경제적으로 중요한 사건. 급수가 다른 대형 사건만 취급하는 서울지방검찰청과의 공조다.

대검이 아닌 게 아쉽지만, 특수범죄수사과가 본청에 자리를 잡을 수 있는 기회였다.

'이 보물이 또!'

"허흠. 무슨 일인데?"

흐흐 웃은 종혁이 강철선을 봤고, 눈이 마주친 그는 접시를 든 채 다가왔다.

"와?"

"요새 바쁘시죠?"

"누가 부장님 허파에 바람을 넣어서 오줌 싸고 손 닦을 시간도 없제. 와, 쪼매 더 있을라꼬?"

그렇게 말하는 강철선이 눈을 가늘게 떴다.

황종수를 취조한 날, 수사관들을 통해 종혁과 부장검사가 나눈 이야기를 모두 들었다.

"저도 학교만 아니라면 그러고 싶은데……."

아쉽지만, 정말 아쉽지만 미래를 위해선 학교에 다녀야 한다.

"대신 이분들은 어떠세요?"

"본청 특수범죄수사과 과장 김종두입니다, 영감님."

"서울지검 경제범죄형사과 강철선입니다."

"경제 범죄! 아이고, 어려운 일을 하십니다. 고생하십니다."

"어데요. 일선에서 고생하시는 형사들만 하겠십니꺼?"

둘은 서로를 칭찬하며 분위기를 훈훈하게 만들었다.

"특수범죄수사과가 광역수사대만큼 권한이 세거든요."

그렇게 말한 종혁의 시선을 받은 김종두가 입을 열었다.

"저희 특수는 범죄의 종류도 가리지 않습니다."

"그래요?"

강철선의 눈이 빛났다.

"흠. 안 그래도 이놈의 범죄자 새끼들이 작당 모의를 하는 게 눈에 뻔히 보였는데도 인원이 적어가 수사를 못 했는데……."

"저희에게 맡기시죠. 소스만 넘겨주시면 살까지 예쁘게 발라서 보내 드리겠습니다."

"너무 나만 득을 보는 것 같은데요……."

"이렇게 하시는 건 어떻습니까? 저희가 꼭 잡아야 하는 놈들이 있으면 검사님께서 도움을 주시는 겁니다."

"꼭 잡아야 하는 놈들이요?"

"뒷배 믿고 설치는 놈들 말입니다."

"……."

잠시 그들 사이에 침묵이 내려앉았다.

하지만 그것도 잠시였다.

둘의 입이 비틀어졌다. 이 순간 서로의 이해가 일치했다.

"야, 우리 김 과장님 딜 좀 할 줄 아시네요?"

"후후. 앞으로 잘 부탁드립니다."

둘의 비릿한 미소만 보면 마치 범죄자가 작당 모의를 하는 것 같았다.

하지만.

'됐다.'

이로써 올해 대한민국을 분탕질할 작전 세력과 사기꾼을 모두 검거할 판이 완성됐다.

이 정도면 이제 공부에 전념할 수 있었다.

"일단 적당한 놈으로다가 한 놈 보내이소. 모가지 꺾어다 법정에 앉혀 드리겠심더."

"아이고. 그렇지 않아도 얄미운 놈이 하나 있는데……."

둘은 후후 흑막처럼 웃으며 이야기했고, 종혁은 그걸 흐뭇하게 바라보았다.

"종혁아, 내 좀 보제이."

눈을 빛낸 종혁이 강철선과 함께 옆으로 빠졌다.

"나왔습니까?"

"……하여튼 눈치는 빨라서."

"흐흐."

강철선은 피식 웃었다가 이내 표정을 굳혔다.

"나왔다. 국가수 인마들이 다 달라붙어서 분해했다. 근데…… 텄다. 지문이 딱 하나 나왔는데, 겹쳐서 뭉개졌다 카더라. DNA는 죄다 오염. 돌아 버릴 일이제."

각오는 했지만 적잖이 실망한 종혁은 이어지는 말에 의아해했다.

"지문은 분리하면 되잖아요?"

"할리우드 영화 이야기하나?"

"아……."

새삼 지금이 1999년도라는 걸 실감한다.

'그러니까 디지털 포렌식도 없고, 지문 분리도 안 돼?'

미래엔 DNA가 어느 정도 오염이 돼도 검사가 가능하다.

고구마가 명치에 얹힌 듯 답답했다.

지금도 증거가 있어도 검사를 하지 못해 거리를 당당히 활보하는 수많은 범죄자들을 떠올리자 머리끝까지 열이 올랐다.

'결국 기술이 발명될 때까지 이렇게 답답…… 아니지?'

"아버님, 어떤 기술을 발명하려면 뭐가 필요할까요?"

"목적성과 개발자도 중요하지만, 결국엔 시간과 예산 아니겠나?"

"……그렇죠. 인재와 시간과 예산이죠."

"와? 대학이나 연구소에 투자할라꼬? 그기 복권이라카던데? 한두 푼 들어가는 것도 아이고."

맞다. 기술 개발은 복권이다.

기껏 개발을 해도 효용성이나 대중성이 없다면 망한다.

하지만 100퍼센트 당첨되는 복권을 알고 있다면?

사지 않을 수가 없다.

'씨부럴. 답답해 돌아가시기 전에 내가 개발한다!'

종혁의 눈이 차갑게 빛났다.

* * *

80평의 넓은 집. 아이보리 톤의 인조 대리석으로 벽과 바닥을 채우고, 천장에 달린 샹들리에가 넓은 거실을 환하게 밝힌다.

명품 와이드 TV 등 모든 것을 새것으로, 최고급으로 채운 보금자리. 베란다엔 고정숙을 위한 작은 정원이 조성되어 있다.

시대를 앞선 인테리어였다.

"이제부터 여기가 우리 집이야, 엄마."

"그래. 이제부터. 여기가."

방금 전까지 떠들썩하던 사람들이 모두 빠져나가며 조용해지고 나니 확 와닿는다.

그녀의 눈시울이 다시금 붉어졌다.

그건 종혁도 마찬가지였다.

'이제부터 우리가 살 집이 여기구나.'

이제야 온전히 실감이 된다.

이제야 목표 하나를 이뤘다.

회귀 후 이런 영화 같은 집에서 어머니와 살겠다 다짐했던 목표를.

종혁은 어머니를 끌어안았다.

"정말 고생하셨어요."

"……아들도. 엄마가 못 해 준 게 많아서 미안해."

'미안하긴요. 제가 더 미안하죠.'

그러나 할 수 없는 말.

두 모자는 서로의 등을 토닥이며 힘들었던 지난 삶을 위로했다.

"아, 그리고 이거 받으세요."

종혁은 반지 케이스를 내밀었다.

"이, 이건?"

금 모으기 운동 때 내놓았던 결혼반지다.

반지하에 살 적 물이 새거나 하면 어머니 고정숙이 가장 먼저 챙겼던 결혼반지, 청혼반지.

이걸 어렵게 회수한 종혁은 오늘 같은 날을 위해 간직하고 있었다.

"이 뜻깊은 날 아버지도 함께해야죠."

그녀는 결국 오열하고 말았다.

치익! 딱!

부엌, 대리석 식탁에 앉은 둘은 캔 맥주를 부딪쳤다.

식탁 위에 놓인 반지 케이스가 열려있다.

"그런데 너무 화려하지 않아? 재벌들이나 이런 곳에 살겠다."

"왜? 우리 정도면 재벌이라고 할 수 있지?"

"미친. 꼴랑 10층 건물 하나로?"

"푸핫!"

어머니의 욕은 언제 들어도 즐거웠다.

피식 웃은 고정숙은 다시 거실을 바라봤다.

"그렇게 바라던 우리 집도 마련했고, 먹고살 걱정도 없고. 이제 엄마는 원 없다. 너 결혼만 하면 돼."

"결혼은 무슨. 아들 이제 열아홉 살입니다, 아주머니."

"왜? 소영이나 현희 있잖아. 그 스키장 외국인 아가씨도 있고. 엄만 외국인 며느리도 오케이니까 아무나 골라잡아!"

풉!

맥주를 내뿜은 종혁은 당황했다.

"벌써 취했어? 그리고 현희는 초등학교 6학년이야!"

"칠 년만 지나면 스무 살이네."

"엄마!"

"싫으면 마라. 그러다 다 놓치고 후회하는 건 너니까."

"아, 진짜! 그러는 엄마는?"

움찔!

"……시끄러워."

"호오. 진짜였어? 누군데? 어떤 분인데? 단골손님이야?"

그녀의 동선상 단골손님이 가장 유력하다.

"시끄럽다니까."

살짝 달아오른 얼굴로 입을 꾹 다무는 어머니의 모습은

아주 귀여웠다. 종혁은 피식 웃었다.

"누구든 엄마를 행복하게만 해 준다면 찬성이지만, 그래도 잘 알아보고 결정하세요. 아버지랑 사고 쳐서 결혼한 거 말고는 연애 경험 없잖아."

"누가 없대?"

탁!

반지 케이스가 닫혔다.

"……응?"

종혁은 눈을 껌뻑였다.

"엄마?"

"이 나이에 이 외모에, 들이대는 사람 한 명 없을 것 같아? 너 이 엄마를 아주 띄엄띄엄 본다?"

"……잠깐. 아줌마, 그거 자세하게 이야기해 봐."

"우리 쿨하게 서로 연애에 대해선 터치 안 하기 할까?"

"아니, 절대. 빨리 이야기해 봐."

"아, 맥주 달다. 한 캔 더 줘 봐."

"엄마!"

그렇게 새 보금자리로 이사한 첫날의 밤이 저물어 갔다.

* * *

"흑! 이제 무슨 재미로 일해?"

"종혁아. 안 가면 안 될까?"

치이익.

삼겹살이 구워지는 식당. 강철선 사무실의 여성 사무관들이 종혁의 소매를 잡은 채 눈물을 그렁거린다.

“일감이 쏟아지니까요?”

부장검사도 이해하는 판이 깔렸겠다, 종혁은 2월 이 시기의 작전 세력들을 죄다 알려 주었다. 그렇다 보니 지금 이 삼겹살집도 저녁 식사 명목으로 겨우 시간을 뺀 거다.

사무관들의 얼굴이 굳었다.

“쳇. 이래서 눈치 빠른 애들은 싫다니까.”

“뭐, 우리 종혁이가 애는 아니지만.”

“허벅지 만지면 직장 내 성추행으로 고소합니다.”

“……왜! 좋은 건 나누자, 좀!”

“싫어요.”

단호하게 뿌리친 종혁은 킬킬 웃고 있는 강철선에게 다가갔다.

“곧 미성년자를 불법 취직시킨 유흥업소들을 상대로 일제 단속이 벌어질 끼다.”

대검찰청에서 공문이 내려왔다.

언론에서 그렇게 때려 댔는데, 대검이 움직이지 않을 리 없다.

이제 대한민국 모든 검찰이 움직인다고 봐야 했다.

“부탁드릴게요.”

법의 테두리 안에 있음에도 착취당하는 미성년자들.

암묵적이란 말도 안 되는 이유로 사회의 인식에서 잊힌 아이들. 지금도 도움의 손길을 바라며 고통받고 있을 아이들.

"단 한 명도 예외 없이 법의 엄중한 심판을 받게 해 주세요. 그리고 아이들을 보호해 주세요."

"……오야. 걱정 마라."

대검과 검사장이 허락한 일이다.

지검장을 웃도는 빽이 아닌 이상 그 누구도 법망을 빠져나갈 수 없다. 그게 설사 그런 놈들에게 돈을 먹은 공무원이라도.

"그리고 수고했데이!"

"수고했어!"

정호부터 방금까지 장난친 두 여성 사무관들도 박수를 쳤다.

종혁은 허리를 꾸벅 숙였다.

"그동안 저 때문에 고생 많으셨습니다!"

그렇게 종혁의 서울지방검찰청 인턴 생활이 끝을 맺었다.

'그럼 이제 시작해야지.'

개학까지 시간이 얼마 남지 않았다.

최대한 바쁘고 알차게 움직여야 했다. 종혁의 눈이 빛나기 시작했다.

* * *

짜악! 짝!

거실에서 찰진 소리가 울려 퍼진다.

"악! 억!"

고정숙은 무표정한 얼굴로 종혁의 등짝을 때리고, 공벌레처럼 몸을 만 종혁은 맞고만 있다.

맞을 짓을 했기 때문이다.

"니가. 사람이니. 이사한 지. 얼마나 됐다고. 또. 여행을…… 가?!"

"그땐 진로를 정하기 위한 여행이었잖아! 이번엔 목적이 달라요! 더욱이 혼자 가는 것도 아니잖아!"

"……."

종혁은 손이 멈추자 빼꼼 고개를 들었다.

고정숙이 관자놀이를 누르고 있다.

"본격적인 고 3 시작 전에 머리 터지도록 놀고 싶다고?"

"넵. 미련을 털어 버리고 와서 온전히 공부에만 집중하려고요."

"……핑계 좋다?"

"저와 같은 생각을 하는 수능생들이 꽤 됩니다, 어머니. 그리고……."

종혁은 재빨리 고정숙의 팔짱을 꼈다.

"나 며칠 전까지 서울지검에서 인턴으로 일했잖아. 응?"

"……몰라. 하루에 한 번씩 연락만 안 해 봐라."

"사랑합니다!"

퍼억!

팔꿈치가 명치에 박혔다.

"좀 있다가 씻고 밥 먹으러 와."

"넵!"

어머니 고정숙은 하숙집이나 고시원처럼 세입자를 위해 2층에서 뷔페를 운영하기로 했는데, 종혁은 적극 찬성했다.

문을 닫고 나가는 어머니를 보던 종혁은 머리를 긁었다.

웅성웅성.

들어가고 나가는 사람들로 북적거리는 김포공항.

방콕 아시안게임 때 이용하긴 했지만, 인천국제공항이 아니라 김포공항에서 비행기를 타야 한다는 게 어색하기만 하다.

-재우를 말입니까?

"힘들까요?"

-음. 감 PD가 내놓을지…….

김재우는 감진영이 직접 캐스팅했다.

-그 사람 겉보기와 달리 인재 욕심이 많습니다. 저도 넌지시 말을 건네 봤지만…….

단호하게 거부했단 소리이다.

툭툭.

종혁은 발을 까딱였다.

준형의 그룹은 데뷔곡부터 대박을 터트린다.

그 일등 공신은 누가 뭐래도 메인 보컬인 재우이고, 그로 인해 천문학적인 수익이 발생한다.

그걸 감진영과 나눌 이유가 없었다.

'문제는 앞으로 나올 대박 곡들이 감진영 손에서 탄생한다는 건데…….'

이래서 처음에 그들이 감진영 소속이라 생각한 것이다.

일이 어그러지면, 후에 레전드라 불리는 그룹도 탄생하지 않을 수 있었다.

거기까지 생각하자 한 가지 의문이 들었다.

"그런데 감진영 씨는 왜 그런 식으로 프로젝트를 진행하려는 겁니까? 차라리 비싼 값 주고 팔아 버리면 될 텐데요."

—이번에 사세 확장과 가수 한 명을 영입하면서 큰 출혈이 있었습니다. 재우는 긴급 수혈과 같은 의미일 겁니다. 어쩌면 예상하지도 못한 당첨이 될 수도 있다고 생각하고 있을 겁니다.

"그럼 재우를 영입하는 건 더 어려워지겠군요."

—아마 그럴 겁니다.

종혁은 혀를 찼다.

"음악 사업에 그렇게 많은 돈이 들어가는지는 몰랐군요. 행사도 많이 돌릴 텐데…… 허."

이 시기엔 그랬다. 사회 전체적으로 인권이란 걸 그리 중요히 여기지 않은 시대이다 보니, 이 시기의 연예인, 특히 그중 잘나가는 가수는 6시간 자는 게 꿈이라 말할 정도이다.

—아, 그건 투자자들 때문입니다.

"투자자요?"

—감 PD 자기 지분이 30퍼센트도 안 될 겁니다.

'고작?'

종혁의 눈이 빛났다.

이 골치 아픈 상황에서 활로가 보였다.

"어쩔 수 없군요. 지분을 사 드리죠."

—예? ……예에?!

"그만큼 사정이 어렵다면, 아마 배당금도 제대로 주지 못하는 상황일 겁니다. 두 배 가격으로 사 드립시다.

두 배를 주고 사도 10년 후를 생각하면 남는 장사이다.

—최 자문님!

종혁은 정영탁에게 투자 자문으로 알려져 있다.

"그룹 활동에 있어서는 소속감이라는 게 중요하잖습니까. 대박이 터져서 축하를 해야 하는데 서로 한자리에 모이지 못한다면 좀 서운하지 않을까요?"

—아니, 허어…… 그런 이유였습니까? 후. 자문님의 쭌이들 사랑은 정말 대단하시군요.

"반지하에서 고생할 때부터 알았던 형들이니까요. 하하."

—……알겠습니다. 그런 이유라면 긍정적으로 생각해 보겠습니다.

역시 정영탁은 좋은 사람이었다.

종혁은 쐐기를 박았다.

"이번 일에 한해선 자금이 무한대로 투입될 겁니다. 부탁드리겠습니다."

-헉!

"그럼 끊겠습니다."

전화를 끊은 종혁은 입꼬리를 비틀었다.

"대박 복권을 하나 더 긁을 수도 있겠군."

훗날 시총이 수천억에 달하는 JYK다.

로또를 넘어 거의 미국 파워볼 수준이라고 할 수 있었다.

절로 기분이 좋아진 종혁은 콧노래를 부르며 시간을 확인했다.

"올 때가 됐는데……."

"종혁아!"

큰 배낭을 흔들며 달려오는 두 남녀.

수호와 소영이었다.

이번 여행을 함께할 동반자는 이 두 명이다.

종혁은 그런 둘, 아니, 수호의 옷차림을 보고 눈을 껌뻑였다.

"방학 때 알바한다더니, 정비소에서 일했냐?"

정확히는 점프슈트라 불리지만, 정비사 옷이라는 인식이 박힌 옷을 입고 있다. 그것도 찬란한 은색으로.

"이건 뭐 은갈치도 아니고……."

"최신 패션이거든! 우승현 몰라?! 나나나나 나나나, 엉? 아끼고 아끼던 걸 해외여행 간다고 겨우 꺼내 입은 건데!"

"아, 그래…… 우승현."

딱히 좋아하는 인물은 아니다.

종혁은 소영을 봤다.

아직 추운지라 코트와 청바지를 입은 그녀.

"예쁘네."

"진짜? 헤헤."

"가자. 늦겠다."

그들은 공항 안으로 향했다.

* * *

나리타 국제공항.

게이트를 빠져나오는 수호의 어깨가 축 처져 있고, 소영의 얼굴엔 짜증이 가득하다.

"한 번만 더 그 옷 입어 봐! 가위로 찢어 버릴 테니까!"

생애 첫 해외여행에 잔뜩 기대했던 그녀는 초장부터 사고를 친 수호를 보며 이를 갈았다.

'현희 고것도 없는 여행이라서 얼마나 기대했는데!'

방해꾼이 없는 여행.

종혁과의 여행.

"미안하다니까……."

입국 목적을 관광이라고 말했지만, 옷차림 때문에 취업이 아니냐 의심을 받은 수호.

"진짜 종혁이 아니었으면 어쩔 뻔했어?!"

종혁이 유창한 일본어로 한국의 최신 패션이라고 대변해 주지 않았다면 지금까지도 빠져나오지 못했을 거다.

"영어가 안 통할 줄은 몰랐지…… 반 친구가 영어는 만국 공통어라고 했는데……."

"하! 영어로는 설명할 수 있고?"

"그, 그건……."

못 한다.

"그러는 너는? 너는! 너도 종혁이가 가르쳐 준 일본어 단어 몇 개만 외운 것뿐이잖아! 자기도 못 하면서!"

"그래도 난 무사통과였지!"

"이게 진짜!"

'괜히 같이 왔나.'

하지만 이번에도 혼자 여행을 간다고 했으면, 그것도 해외여행이다 보니 절대 허락을 못 받았을 것이다.

종혁은 한숨을 쉬며 둘 사이에 끼어들었다.

"여행 첫날부터 싸울 거면 돌아가자."

"흡!"

"……."

"안 싸울 거지?"

끄덕끄덕!

"좋아. 가자."

그들은 미리 예약한 숙소로 향했다.

"와!"

"우와!"

족히 20평은 될 바닥엔 다다미가 장판처럼 깔려 있고, 벽엔 산수화와 산문이 적힌 족자들이 걸려 있다. 한국에선 보지 못한 이국적인 인테리어에 수호와 소영은 언제 싸웠냐는 듯 함께 방 안을 헤집고 다녔다.

"TV를 이용하시는 방법은……."

종혁은 방 안 시설물 사용법을 설명하려는 종업원을 말렸다.

"대충 알고 있으니 괜찮습니다."

"아, 저희 료칸을 이용하셨나 보군요!"

"네. 예전에."

회귀 전 도쿄로 도망친 부산 밀수 조직 두목을 잡기 위해 도쿄를 헤집고 다닌 적이 있는데, 그놈이 몸을 숨겼던 곳이 바로 이 료칸이다. 일본 경찰도 노리던 놈이라 공조를 하지 못해 직접 숙박을 하며 기회를 노렸는데, 다행히도 이틀 차에 태평하게 온천을 즐기던 걸 덮쳐서 잡았다.

"여긴 여전히 좋네요."

다다미 냄새가 상쾌하다.

여종업원의 얼굴에 자부심 어린 미소가 번졌다.

"칭찬 감사합니다."

"수고하셨습니다."

종혁은 그러며 만 엔을 내밀었다.

"핫! 티, 팁을 이렇게 많이 주시면……."

"전 괜찮지만, 재들은 일본에 대해 잘 몰라서요. 아마 시끄러울 겁니다."

수호와 소영이 첫 해외여행이다 보니 마음껏 즐길 수 있도록 제어하지 않을 생각이었다.

"……아."

무슨 뜻인지 알아들은 그녀는 다부진 표정을 지었다.

"필요한 게 있으시면 언제든 전화로 하네코를 찾아주세요. 저희 료칸과 도쿄의 모든 것을 알려 드리겠습니다. 부디 편히 쉬시길."

허리를 공손히 숙인 그녀는 뒷걸음으로 물러났고, 복도에서 무릎을 꿇고 문을 닫는 그녀의 모습에 수호와 소영은 잠시 얼어붙었다.

종혁은 입을 뻥긋거리며 문을 가리키는 둘을 보며 푸핫 웃었다.

"일본은 원래 서비스 정신이 강하니까 신경 쓰지 마."

"……일본에 자주 와 봤나 봐?"

"맞아. 일본어도 엄청 유창하고."

종혁은 택시 안에서 택시 기사와 웃으며 이야기를 했다.

마치 우리말을 하듯 유창했다.

"국제 대회 때문에 몇 번 와 봤지. 일본어는 따로 익혔고."

"따로……."

둘은 종혁은 대단하다는 듯 보았다.

그러다 소영이 박수를 짝 쳤다.

"아, 맞아! 종혁아, 아까 택시비 얼마 나왔어? 여기 숙소는 너 후원해 주는 회사가 계산해 줬다 쳐도 그건 각자 계산해야지."

정확히는 이들 주머니 사정을 걱정한 종혁이 그렇게 꾸몄다.

소영과 수호는 종혁의 후원사가 권&박 홀딩스라는 걸 모르고 있었다. 97년에 수호를 도와준 적이 있기에 혹여 자존심이 상할까 숨긴 상태였다.

"응? 아냐. 됐……."

"됐다고 하기만 해. 다신 너랑 여행 안 올 테니까."

정색하는 소영의 모습에 종혁은 고개를 끄덕여야 했다.

수호도 그건 아니라는 표정을 짓고 있었다.

'역시 야무지다니까.'

종혁은 피식 웃으며 액수를 말했고, 둘은 입을 떡 벌렸다.

"……비, 비싸네. 그, 그래도 그 정도는 예산 안이니까…… 응."

"나 아키하바라에 갈 수……."

퍼억!

옆구리를 걷어차인 수호가 데굴데굴 굴렀다.

"야 이 폭력 마녀야!"

"시끄러워! 여행 계획표나 내놔! 네가 만든다며!"

"아!"

수호는 얼른 메고 온 배낭에서 연습장을 꺼냈다.

셋은 방 중앙, 앉은뱅이 의자가 있는 탁자에 둘러앉았다.

"일단 오늘 저녁은……."

"저녁 식사는 빼. 가이세키라고 일본 전통 요리가 석식으로 나오거든."

"아, 그래?"

수호는 저녁 식사에 줄을 죽죽 그었다.

종혁은 얼른 덧붙였다.

"그리고 내일 아침 스케줄도 빼 줘."

"응? 무슨 일 있어? 아니면 늦게 일어나려고?"

"아니. 만나야 할 사람이 있어서."

"만나야 할 사람?"

"응."

사람들의 기억 속에서 잊힌 비운의 천재.

지금도, 미래도 극소수의 사람을 제외하면 누군지도 모르지만 한국 과학수사에 큰 족적을 남긴 존재.

일본에서 만나야 할 사람은 바로 그였다.

'곧 만나러 가겠습니다, 교수님.'

종혁은 씁쓸하게 웃었다.

* * *

"끄윽! 머리 아파."

머리를 잡으며 눈을 뜬 삼십대 후반의 사내는 당황했다.

천장에 커다란 거울이 있는 낯선 공간.

"러브호텔? 내가 여길 왜……."

그는 어젯밤 일을 기억했다.

"분명 겨울 학기 듣는 학과 애들과 회식을 하다가……."

너무 좋은 일이 있어 큰마음 먹고 쐈다.

학점을 깐깐하게 주는 게 미안하기도 했으니까.

이런저런 이유로 새벽 1시까지 술을 마신 것 같은데, 그 이후로 기억이 없다.

쏴아아!

"응?"

달칵!

"휴."

사내는 화장실 문을 열고 나오는 노랑머리의 이십대 여성을 보곤 하얗게 질렸다.

"네, 네가 왜…… 서, 설마?!"

"흑! 치한! 변태!"

"자, 잠깐!"

"흑흑흑…… 풋!"

여성은 화장대에 놓아둔 휴대전화를 들어 보여 줬다.

"어제 대단하던데요?"

여성의 눈이 뱀처럼 찢어졌다.

"이제 어떻게 할래요. 교. 수?"

사내의 얼굴이 파랗게 질렸다.

* * *

세 명은 도쿄에 위치한 미나토 대학의 4, 5미터 높이의 철문, 정문 앞에 섰다.

일본 전통 건축물인 토리이와 닮은 철문.

수호의 눈이 가늘게 뜨인다.

"가만 보면 일본은 토리이를 참 좋아하는 것 같아. 여길 가도 토리이, 저길 가도 토리이."

토리이는 신사에 가야만 볼 수 있을 거라 생각했던 수호로선 무척 실망스러웠다. 처음엔 흥분했지만.

"쉽게 설명하자면, 우리나라의 천하대장군과 지하여장군, 돌하르방 같은 의미랄까."

"아. 액막이구나. 하긴 일본은 600만이 넘는 토속 신을 모시는 나라니까. 그만큼 요괴도 많고."

종혁과 소영은 놀랐다.

그 시선을 알아차린 수호가 콧대를 세웠다.

"게임에서 그렇게 말하더라고."

"……그럼 그렇지."

소영의 눈은 짜게 식었지만, 종혁은 다시 놀랐다.

"일본어 할 줄 알았어?"

이 시기 일본산 게임이나 만화들은 대표적인 것 몇 개 제외하고는 죄다 미번역본이었다.

"쓰고 읽는 것만 쪼금. 나머진 다 통빡이지! 히히힛! ……그런데 그마저도 내가 아는 거랑 다른 게 많더라. 응."

그래서 공항에서 그런 일이 있었던 거다.

남자 입국 심사관이 하는 말을 많이 알아듣지 못했다.

'미연시 히로인들은 그렇게 말 안하던데.'

“아마 여자가 쓰는 단어랑 남자가 쓰는 단어가 달라서 그럴 거야. 그래도 대단한데?”

수호는 머리를 긁적였다.

“아무튼 종혁아! 오늘 일 끝나면 꼭 신사랑 동경대 가는 거야.”

“동경대도 알아?”

“미연시 단골이거든!”

“왜 그걸 여행 계획에 넣었나 했더니…… 야!”

수호가 정신을 차렸구나 하고 대견해했던 소영은 이제 실망을 넘어 숫제 경멸까지 했다.

종혁은 소영을 툭 쳤다.

“동경대 아니 도쿄대는 일부러라도 찾아가 볼 만해. 일본뿐만 아니라, 세계에서도 알아주는 대학이거든. 일본의 한국대랄까?”

세계적 지명도로 따지면 그보다 높다고 할 수 있다.

“진짜?!”

그녀의 눈빛이 변한다.

“응. 꽤 볼만할 거야.”

회귀 전, 일본 경찰과 처음 공조수사를 이뤘을 때 투어를 한 적이 있었다. 범인을 넘겨주기 싫어 한 일본 경찰의 수작이었지만, 그 속내를 알기 전까지만 해도 이게 일본 스타일이라는 말을 철석같이 믿었다. 순진하게도.

“그렇구나. 아, 그런데 여기서 누굴 왜 만나려는 거야? 아는 사람이야?”

"스카우트? 일본에 간다니까 아영 이모가 꼭 필요한 사람이라고, 일단 말만이라도 전해 달라고 부탁했거든."

"이모가? 왜?"

이제야 왜 종혁이 정장을 입었는지 이해가 되었다.

'하지만 왜 이모가 이런 일을 종혁이에게…… 그만큼 믿는다는 걸까? 이모는 나에겐 이런 말 한 적이 없는데.'

같은 나이지만 묘하게 연상 같은 종혁.

소영의 생각이 많아졌다.

"그런데 왜 하필이면 일본 사람이야? 한국엔 없대? 일본인이라면 말도 안 통할 텐데……."

"아, 반은 한국 사람이셔."

"재일 교포?"

"3세라 한국계 일본인이라 해야겠지만."

'그 때문에 많은 불편을 겪은 분이지.'

곧 일어날 어떤 사건으로 인해 그는 결국 미나토 대학 교수 자리를 내려놓고 한국으로 넘어온다.

하지만.

'그건 한국도 마찬가지였지.'

재일 교포, 한국계 일본인은 일본인도 한국인도 아니었다.

'그런 상처를 입기 전에 끌어들여야지.'

그게 그가 만든 결과물로 범인을 잡았던 종혁으로서 할 수 있는 최대한의 보은이었다.

종혁은 그녀와 수호를 툭 쳤다.

"가자."
그들은 미나토 대학 안으로 들어갔다.
"아무튼 좀 있다가 시부야에 가면 소매치기나 강도당할 수 있으니까 함부로 지갑 꺼내지 말고, 범죄에 이용당할 수 있으니까 리서치 조사 같은 것에 전화번호도 함부로 적지 말고……."
종혁의 입에서 일본 여행 시 주의 사항이 흘러나오자 소영과 수호의 얼굴이 하얗게 질린다. 말만 들으면 거리에 범죄자만 있는 것 같았다.
"이, 일본이 그 정도로 위험한 나라야? 아닌데? 내가 하던 게임에선 좋은 사람들만 있었는데. 정도 넘치고……."
그게 일본 게임의 폐해다.
"맞아. 일본은 선진국 아니었어?"
"선진국?"
종혁은 코웃음 쳤다.
"선진국 맞지. 다만 범죄도 선진국이라서 문제지."
"으응?"
살인 수법을 제외한 모든 형사 사건의 선구자라 불리는 곳이 바로 일본이다. 특히 사기 수법은 거의 10년을 앞선다.
'보이스 피싱, 사이트 피싱 등 피싱 사기가 일본에서 넘어왔지.'
일본을 겪다 보면 '역시 한국이 최고다'라는 말이 절로 나올 수밖에 없었다.

종혁은 옆 건물을 가리켰다.
“……응. 무서운 나라구나.”
건물 벽에 페인트로 낙서가 되어 있다.
“저, 저건?”
일본어를 읽고 쓸 줄 아는 수호는 식겁했다.
종혁은 그를 보며 쉿 하고 검지를 입에 가져갔다.
“으응.”
그걸 본 소영은 굳이 물어보지 않았다.
‘후. 아무리 삼류 대학이라지만 이건 아니지.’
“아, 여기다.”
그들이 도착한 곳은 공과대학이었다.
5층 공과대학 건물의 4층으로 향한 종혁은 둘을 보았다.
“굳이 여기까지 안 따라와도 되는데. 음, 오래 걸리진 않을 테지만 심심하면 대학 구경이라도 하고 있을래?”
“응? 아냐. 우린 신경 쓰지 말고 천천히 해!”
“무슨 일인지 모르지만, 잘해야 돼! 최종혁 파이팅!”
복도에 놓인 의자에 앉은 친구들의 응원을 뒤로한 종혁은 피식 웃으며 걸음을 옮겼다.
하지만 목적지 앞에 도착하자 낯빛이 굳었다.
위치가 화장실 앞이다.
우연일 수도 있지만, 종혁은 악의를 느꼈다.
—예, 들어오세요!
문을 열고 들어가니 좁은 교수실, 삼십대 후반의 사내

가 컴퓨터를 두드리고 있었다.

더벅머리에 인상을 어수룩하게 만드는 뿔테 안경.

변함없는 그 모습에 웃음이 나온다.

'오랜만입니다, 교수님.'

그런데.

'면상이 왜 그러십니까?'

만성 스트레스에 시달리는 듯 낯빛이 검고 수척하다.

"누구…… 체육학과는 여기가 아닌데……."

"나흘 전 연락드린 권&박 홀딩스의 투자 자문 최종혁입니다."

"아, 한국에서 오신다는! ……이런, 벌써 시간이 이렇게 됐군요. 정말 죄송합니다. 야마노구치 이치로입니다."

명함을 주고받은 이치로 교수는 종혁을 소파로 안내했다.

종혁은 속으로 한숨을 내뱉었다.

좁다. 겨우 4평이나 될까 한 공간에 전문 서적이 쌓여 있어서 창고로 오해할 정도다.

거기다 화장실 맞은편이었다.

'역시 차별을 당하는 건가.'

"하하. 사무실이 많이 더럽죠? 미안합니다. 제가 정리하는 습관이 없어서."

"아닙니다. 정리를 할 수 없을 만큼 연구에 매진하시는 것 같아서 좋은데요, 뭘."

"하하. 그렇게 말해 주셔서 감사합니다."

이치로 교수의 낯빛이 어두워진다.

종혁은 그가 왜 그런지 알아차렸다.

"흠흠. 그런데 투자 자문이시라고요? 젊어 보이시는데 정말 대단합니다! 일본어도 일본인이라고 해도 믿을 정돕니다!"

"고작 서른 살에 특채로 교수에 임용되신 교수님만 할까요."

이치로 교수의 눈이 동그래졌다.

종혁의 눈이 호선을 그렸다.

"한때 더티 버니……."

"어억!"

1991년, 일본의 잃어버린 10년이 시작된 해에, 일본 재무성의 모든 컴퓨터가 일제히 해킹된 사건이 발생했다. 일본 뉴스에도 타지 않은 사건인데, 그때 모니터에 나타난 심볼이 누더기 토끼 인형이었다.

〈너희가 일본을 망치고 있다〉라고 계속 외친 토끼 인형.

일본 해킹계에 한 획을 그은 사건이었고, 그 범인이 바로 눈앞의 이치로 교수였다. 그의 해킹 능력을 높이 산 일본 정부는 그에게 보안 프로그램 제작을 의뢰했다.

그러며 교수직도 제안했는데, 그가 택한 건 놀랍게도 이곳 미나토 대학이었다.

'한때 방황한 아이들도 수준 높은 교육을 받을 자격이 있다는 이유였지.'

이 모든 이야기는 이치로 교수가 말해 준 것이었다.
"그, 그건 잊어 주십시오. 부탁드립니다!"
얼굴이 새빨갛게 달아오른 그를 보니 더 이상 놀릴 수가 없었다. 이치로 교수는 얼른 화제를 돌렸다.
"크흠. 그런데 제 연구에 관심이 있다고요? 알고 계시겠지만, 제 연구 분야는 보안과 안티 바이러스입니다. 기업 보안에 있어 제 프로그램을 따라올 사람은 없을 겁니다."
일본에서 나고 자란 사람답지 않은 직설적인 화법.
종혁은 이질감을 느꼈다.
'급하다? 왜?'
그가 만났던 이치로 교수는 삶에 달관했다고 말할 만큼 여유로운 사람이었다.
"무슨 일 있으십니까?"
흠칫!
'무슨 일이 있군.'
종혁의 눈빛이 서늘하게 가라앉았다.
'설마 그 일인가?'
어떤 사건이었는지 끝까지 밝히지 않았지만, 그는 2001년 한국으로 귀화를 했었다. 한때 방황했지만 다시 시작하려는 아이들을 위해 더 좋은 대학의 교수직을 걷어찼을 만큼 일본을 사랑했던 그가.
"흠흠. 굳이 시간 낭비하지 않으려는 겁니다. 금액이 맞으면 판다. 시장의 간단한 논리죠."

"음."

종혁은 불편해지는 마음을 누르며 입을 열었다.

"죄송합니다만, 저희가 원하는 건 다른 연구입니다."

"다른 연구요?"

"더티 버니 말입니다."

"그걸 또 왜 말하……."

인상을 찌푸리던 이치로 교수는 순간 하얗게 질렸다.

종혁은 불신으로 물드는 그 두 눈을 보며 폭탄을 던졌다.

"해킹."

벌떡!

소파를 박차고 일어난 이치로 교수의 얼굴이 공포로 물든다.

"그, 그걸 어떻게……."

쿵쿵쿵! 흠칫!

이치로 교수는 다급히 문을 보았다.

그는 종혁과 문을 번갈아 보며 갈등에 빠졌다.

쿵쿵쿵!

"자, 잠시."

애써 말한 그는 얼른 문을 열었다.

"헉?!"

"교수. 잘 있었…… 호호. 누가 있네요. 좀 있다가 봐요."

"……으응."

종혁의 눈이 가늘게 뜨였다.

맹수 앞에서 벌벌 떠는 초식동물처럼 반응한다.

'설마 저 여자인가?'

이치로 교수로 하여금 일본을 등지게 만든 이유.

이치로 교수가 절대 말하지 않은 사건.

쉽게 단정하면 안 되지만, 느낌이 딱 왔다.

26년 형사로서의 직감.

코가 간질거리며 고약한 냄새를 맡았다.

당장 머리채를 잡고 뺨을 후려친 다음, 뭔 일이냐 묻고 싶다.

종혁은 울컥 솟는 뜨거운 감정을 누르며 여성에게 다가갔다.

"오, 반갑습니다. 공대에서 이런 미녀를 볼 줄이야. 아, 전 이런 사람입니다."

"귀느 앤도 바그 호르디그스?"

일본인 특유의 영어 발음. 아니, 그냥 일본어다.

"한국의 투자 기업이죠. 실례가 안 된다면 연락처를 물어도 될까요? 너무 제 스타일이라서요."

노랑머리의 이십대 여성은 종혁의 몸과 얼굴을 훑곤 눈을 빛냈다.

"아무한테나 주지 않는데……."

종혁은 옆에서 입술을 달싹이는 이치로 교수를 애써 무시했다.

그렇게 삐삐 번호를 말한 여성은 이치로 교수를 힐끗

보고 몸을 돌렸다.

'호. 삐삐라.'

옆으로 맨 가방에 화려하게 장식된 휴대전화가 액세서리처럼 달려 있는데도 삐삐 번호를 준다.

'아, 맞아. 일본에선 친하지 않는 이상 곧바로 전화로 연락하는 건 실례지, 참.'

그래서 초면엔 이메일 주소나 삐삐 번호부터 알려 준다.

2000년 이후부터는 대부분 휴대전화, 소위 가라케라는 피처폰 전용 이메일로 연락을 주고받는다.

쿵!

문을 닫고 다시 자리에 앉은 이치로 교수는 이를 악물었다.

"제 피가 반은 한국인이기에 작은 충고 하나 하겠습니다. 저 아이와는 얽히지 않는 게 좋을 겁니다."

"흠. 그런가요?"

'맞구먼.'

종혁은 눈빛을 가다듬었다.

"그건 생각해 보죠. 그럼 계속 이야기를 해 볼까요?"

이치로 교수는 입술을 달싹였다.

뭔가 할 말이 굉장히 많아 보이는 모습을 보이던 그는 결국 한숨을 뱉었다.

"뭔가 잘못 알고 있는 것 같은데, 제가 개인적으로 연구한 게 해킹을 기본 골자로 하는 것이지만……."

"압니다. 해킹에 의한 컴퓨터 탐색 프로그램. 지금은 각국 정보부에서만 쓰이기에 일반인은 모르는 신개념 탐색 프로그램."

두 번 이상 포맷한 컴퓨터의 모든 파일과 기록을 복구하는 프로그램이다.

일명 디지털 포렌식.

그걸 한국에 와서 만든 사람이 바로 눈앞의 이치로 교수였다.

"아닌가요?"

종혁은 다시 경악하는 이치로 교수를 보며 의미심장하게 웃었다.

"어떻게 하시겠습니까?"

갈등하던 이치로 교수는 이내 곧 이를 악물었다.

"……팔겠습니다."

"예?"

"가격만 제대로 쳐 주십시오."

너무도 쉬운 허락에 종혁은 당황했다.

'이거 진짜 심각하군.'

종혁의 가슴 깊은 곳에서 분노의 불씨가 당겨졌다.

* * *

계약은 모레 맺기로 했다.

'디지털 포렌식.'

이치로 교수가 만든 디지털 포렌식 프로그램은 한국 디지털 포렌식의 원형이 된다. 한국은 그것을 바탕으로 한국형 디지털 포렌식 프로그램을 개발, 첨단 과학수사의 문을 연다.

'그러나 팽을 당하지.'

이 시기 신문물을 받아들이는 것에 인색할 뿐, 한번 받아들이기 시작하면 무섭도록 발전하는 한국.

귀화한 이치로 교수는 학계의 교수들과 연구원에게 밀려서 설 자리를 잃고, 결국 경찰과 검찰을 상대로 디지털 포렌식에 대한 강연만 하다가 은퇴를 한다.

'그 원형이 정말 대단했음에도.'

2015년까지 그 원형이 차지하는 지분이 70퍼센트 이상이었다.

후에 개발된 디지털 포렌식도 원형의 개량형일 뿐 결코 그 이상으로 발전하지 못했다.

하지만 개인이 조직을, 사회를 이길 순 없는 법이었다.

그는 그렇게 잊혔다.

'여기서 걸리는 점은 그 대단한 작품을 사랑해 마지않았던 일본에 넘기지 않은 것.'

와세다 대학이나 게이오 대학의 교수직도 걷어차고 미나토 대학에 올 만큼 일본인을 사랑했던 그가 말이다.

그 이유를 알아야 했다.

'껍데기만 가질 거면 오지 않았어.'

알맹이인 이치로 교수를 영입하기 위해서 일본에 온 거다.

그런데 현재 그의 신변에 무슨 일이 생겼고, 유일한 단서는 아까 전의 그 여성뿐이다.

'꽃뱀? 협박? 아님 약점이라도 잡혔나?'

확실한 단서가 없으니 골치가 아프다.

'그래도 계약은 이틀 후니까 그 전에…….'

종혁의 미간은 좁혀졌고, 카레 가게에서 일본식 카레를 먹다 그걸 목격한 소영과 수호의 눈동자가 흔들렸다.

"왜 그래? 무슨 일 있어?"

"음? 아니야. 일은 잘 풀렸어. 어서 먹어. 맛있네."

종혁은 카레를 씹으며 다시 생각에 잠겼다.

'멋지다.'

마치 사회인 같다.

어른 같다.

일을 마치고 집에 돌아온 아버지를 보는 듯한 느낌.

아니, 검찰청에서 인턴을 한 종혁은 이미 사회인이라고 볼 수 있었다.

당장 어제까지만 해도 약간 어른스럽지만, 그래도 함께 어울렸던 친구가 멀어진 것 같다.

'종혁이는 이미 미래를 준비하고 있구나.'

애써 외면하고 있었지만, 다시금 일본어를 능숙하게 하던 종혁이 떠오른다.

둘은 스스로를 돌아보았다.

생애 첫 해외여행이라고 마냥 신나기만 했던 모습들이, 돌아가서 자랑할 생각에 기뻐했던 자신들이 갑자기

초라하게 느껴졌다.

'안 돼!'

친구로서 뒤처질 순 없었다.

약간 다른 마음인 소영으로선 더욱 그랬다.

둘의 눈빛이 달라지기 시작했다.

"음?"

종혁은 갑자기 여행 회화책을 꺼내드는 둘을 보며 의아해했다.

* * *

"와앙! 일본 최고! 예쁜 옷 진짜 많아!"

시부야에서 양손 가득 쇼핑을 한 소영이 행복한 미소를 짓다 종혁을 보곤 풋 웃었다.

종혁은 얼굴을 구겼다.

"시끄러워. 말하지 마."

"하지만. 하지만……."

연예인들을 따라 하기 바쁜 수호도 옷을 샀는데, 종혁만 옷을 사지 못했다. 모두 사이즈가 맞지 않아서이다.

가장 큰 옷도 종혁이 입으니 어린아이 옷을 입은 어른 같았다.

"아, 너한테 맞는 옷은 서울에도 거의 없나?"

"이게 진짜. 어후! 수호야, 넌 친구가 당하는데 말도 없냐!"

여자한테 말로 이길 수가 없다.

함께할 동료를 찾았던 종혁은 고개를 모로 기울였다.

당첨된 복권을 잃어버린 것처럼 수호가 축 처져 있다.

"메이드…… 메이드. 메이-읍?!"

"어허. 아니다. 거리에서 소리 지르는 거 아니다."

"어후, 진짜 저질. 고슈진 사마? 그런 말 듣고 싶니?"

아키하바라라는 골목에서 딱 하나 있던 메이드 카페.

중세 하녀복을 입고 가슴을 드러낸 모습에 얼굴이 화끈 달아올라야 했다.

"마녀 네가 피아 케럿을 알아?! 고양이 소녀의 귀여움을 아냐고!"

"그냥 너 같은 변태를 모르고 싶다……."

"어헝. 종혁아."

종혁은 수호의 곁에서 떨어졌다.

같은 취급은 사양이었다.

"너, 너마저!"

"됐고. 저녁 먹어야지?"

벌써 오후 7시다.

지금 료칸으로 돌아가 봐야 어차피 저녁 식사는 놓친다.

그런데 둘의 반응이 썩 좋지 않다.

"음. 그렇기는 한데."

"우리 라멘이랑 덮밥 말고 다른 거 먹자."

종혁이 킥 웃었다.

"하긴 일본 음식 간이 한국이랑 맞지 않지."
둘은 고개를 격하게 끄덕였다.
"왜 그렇게 짜고 느끼해? 김치도 없으면서!"
"심지어 계란말이는 달아! 계란말이에 설탕이 말이 돼?"
"흠. 맛있는 게 많은데 말이야."
"설마."
종혁은 크게 데인 듯한 둘의 모습에 안타까워했다.
'초밥, 사시미, 전골, 꼬치구이, 어묵, 고로케, 빵…… 먹을 거 많은데.'
"그럼 어쩔 수 없네."
"응?"
종혁은 일본에서 구매한 선불 폰을 들었다.
"여보세요? 료칸이죠? 하네코 씨 부탁드립니다."
팁 값을 할 차례였다.

그들이 하네코의 추천을 받아 간 곳은 료칸 근처 번화가의 스키야키 체인이었다.
"와, 냄새 좋다."
"음. 간장과 고기 냄새."
담배를 피우는 어른들의 모습도 한국 식당 같아 친숙했다.
코를 벌렁거리며 주위 테이블을 둘러보던 둘이 무언가를 발견하고 눈을 빛냈다.

“스, 스키야키 8인분. 밥 여섯 개 맞나요?”
“일단 그렇게 주세요.”
“일단…… 네! 더 필요한 거 있으신가요?”
종혁은 수호와 소영을 봤다.
“뭐 더 시킬래?”
둘의 눈이 번쩍였다.
“비르. 비르! 야사히!”
“사케!”
“술?”
‘이건 언제 외운 거야?’
딱 일본어 발음이다.
종혁은 피식 웃었다.
“그래. 해외여행 왔는데 이 정도 일탈은 해야지.”
종혁은 종업원을 보았다.
“적당히 독한 사케 한 병과 맥주 세 잔 주세요.”
“한 병은 너무 많으실 텐데…….”
종혁은 대답 대신 본인의 몸통을 가리켰다.
이해한 종업원이 살포시 웃으며 돌아갔다.
그러자 소영과 수호는 다시 일본어 회화책을 꺼냈다.
“공부 열심히 한다?”
둘은 쉬는 시간마다 회화책을 꺼내 외웠고, 물건을 살 때도 일본어로 하려고 노력했다.
“언제까지 네 도움만 받을 수는 없잖아!”
“응! 우리도 공부해야지!”

'그래서 가장 먼저 배운 게 술이냐.'

그래도 생각이 좋았다.

이윽고 음식이 나오고, 직원이 설명해 준대로 고기를 구워 먹은 둘은 엄지를 치켜세웠다.

"짠!"

채앵!

황금빛 맥주가 든 잔이 부딪쳤다.

꼴깍꼴깍.

"캬아."

"하 뜨! 짜지만 이 정도면 맛있어!"

종혁은 많이 먹으라고 흐뭇하게 말하며 젓가락을 들었고, 셋은 일본 여행 둘째 날을 만끽했다.

"어머. 진짜 오셨네요?"

"아, 하네코 씨. 퇴근하시나 봐요? 덕분에 맛있게 잘 먹고 있습니다."

"다행이네요! 여기가 정말 유명한 체인인데 이 지점이 가장 맛있거든요! 그래서 다른 동네에서도 올 정도예요!"

"그런가요?"

"네코 짱 누구?"

하네코의 일행이 호기심 가득한 표정으로 묻는다.

"아, 우리 료칸에 투숙하시는 분이야. 한국에서 오셨어."

"한국? 와, 나 한국 사람 처음 봐!"

"그, 그럼 저흰 이만. 가자!"

"아앙! 한국에 대해……."

종혁은 일행이 실수하기 전에 끌고 가려는 하네코를 보며 피식 웃다가 눈매를 좁혔다.

"으하핫!"

"호호호!"

'저 여자는?'

뭐가 그리 즐거운지 웃으며 들어오는 세 명 중 이치로 교수와 만난 노랑머리 여성이 있었다.

종업원의 안내를 받아 90도 꺾어 코너로 사라지는 여성.

"하. 요괴는 뭐 하나 몰라. 쟤들 안 잡아먹고."

걷다 멈춘 하네코의 말에 종혁의 귀가 쫑긋 솟았다.

"하네코 씨. 아는 사람들입니까?"

"네? 아…… 아, 아니에요! 그럼!"

하네코가 부리나케 사라지자 종혁의 눈매가 가늘어졌다.

경멸과 분노, 공포. 순간 하네코의 얼굴에 서린 감정은 바로 그것이었다. 형사였던 종혁에겐 너무도 익숙한 감정이었다.

'노랑머리뿐만 아니라 그 일행 전체를 그렇게 봤어.'

촉이 섰다.

종혁은 소영과 수호를 봤다.

"미안한데 나 배터리 좀 바꾸고 올게. 좀 있다가 엄마한테 전화해야 되는데 깜빡거리네."

"아, 그럼 내 것도! 어휴. 한잔 먹으니까 좀 취하네?"
"으응. 나도 그런 것 같아. 종혁아, 나도 부탁해."
"……에라이. 그냥 짐도 다 내놔. 가져다 놓게."
소영과 수호는 재빨리 짐을 내밀었고, 종혁은 고개를 저으며 가게를 나섰다. 그리고 료칸을 향해 뛰었다.

* * *

지글지글.
마블링 좋은 소고기가 익어 간다.
침을 꼴딱 삼킨 보라색 머리 여성이 노랑머리 여성을 보았다.
"근데 미 짱. 괜찮아?"
이 체인점에서 최고로 비싼 소고기를 시켰다.
"괜찮아. 곧 돈이 생기거든. 아, 우리 다음 주에 하와이 갈까?"
두 여성은 깜짝 놀랐다가 이내 음흉하게 웃었다.
"……물주 크게 물었구나? 이번엔 어떤 변태야?"
돈이 떨어질 때마다 가끔 이런 짓을 하던 그들의 얼굴엔 죄책감이나 걱정이 없었다.
"그게……."
"어? 아까 그분 맞죠? 이치로 교수님 교수실에서."
고개를 돌린 셋은 깜짝 놀랐다.
위협이 느껴질 만큼 큰 덩치.

하지만 순수하게 생긴 외모.

그러면서도 날카로운 눈매가 섹시했다.

종혁이었다.

“와, 이렇게 만나게 될 줄이야.”

종혁은 테이블을 짚으며 노랑머리 여성, 미나미에게 고개를 내밀었다. 그러며 그 손은 테이블 밑을 훑었다.

엄지 한 마디 크기의 검은 사각형 기계가 테이블 밑에 붙었다.

“근데 왜 답장 안 줬어요? 음성 메시지 남겼는데.”

종혁은 내일 만나자며 음성 메시지를 보냈다.

누구냐며 눈을 빛내는 친구들을 무시한 미나미는 테이블 위에 올려 둔 분홍색 삐삐와 휴대전화를 가리며 도도하게 웃었다.

“바빠서 아직 확인 못 했어요. 알았어요. 생각해 볼게요.”

“이런, 일본에 있을 시간이 얼마 없는데. 알았어요, 기다릴게요. 친구들과 온 것 같은데 식사 잘 해요.”

싱긋 웃은 종혁은 몸을 돌리다 아차 했다.

“아, 맞아. 이치로 교수님의 제자 맞죠? 애인 아니라?”

“풋! 그런 거 아니에요!”

순간 그녀의 눈에 조소가 맺혔다 사라졌다.

“음. 아까 분위기가 아닌 것 같던데…… 뭐, 믿어 주죠. 나 한국 가기 전에 꼭 봐요.”

종혁이 멀어지자 숨을 죽이고 있던 친구들이 호들갑을

떨었다.

“미 짱! 저 와일드하게 생긴 남자 뭐야? 시계 봤어? 로레크스야! 저 남자야?”

미나미의 콧대가 높아졌다.

“아니. 그건 딴사람. 저 남자는 한국 투자 회사의 사원인데…….”

종혁은 투자 자문이 아니라 여러 상황을 위해 만든 명함 중 하나인 사원 명함을 줬다.

“투자 회사!”

“어쩜! 있어 보여! 저런 사람이 이케맨인가?”

지난달 한 패션 잡지에서 나온 용어, 이케맨.

“흠흠. 아무튼 그런데, 삐삐 번호 줬어.”

친구들의 얼굴이 미세하게 구겨졌다가 펴졌다.

“그래서, 만날 거야?”

“글쎄…….”

“만난다면 우리도 데려가 줘라! 그럴 거지?”

“뭐, 봐서.”

더욱 콧대를 높이는 그녀의 모습에 둘의 얼굴은 조금 더 구겨졌다가 펴졌다. 배알이 꼴린 둘은 얼른 화제를 돌렸다.

“그런데 아까 그건 무슨 말이야? 너 교수실에도 가? 네가?”

“오, 미나미. 양키 주제에 공부하려는 티 내려는 거야?”

묘하게 깔보는 말투에 미나미는 발끈했지만, 이내 음흉하게 웃었다.

'이러니까 너희와 나는 레벨이 다른 거야.'

고등학교 졸업과 대학생. 여기서부터 레벨이 다르다.

"내 물주가 그 교수야."

"……미쳤어! 와, 너!"

"푸흐흐. 그 바보 머저리. 하지도 않았는데, 지레 겁먹어서 누구에게도 말하지 말라며 매달리는 거 있지? 애초부터 그러기 위해 데려갔지만…… 호호. 그렇게 찌질하니까 우리 과 애들이 싫어하지!"

"미 짱. 사악해."

"그런데 교수 월급이면 많이 나오겠는데?"

"당연하지. 학점도 A+받기로 했어. 그럼 취업하는 데 도움되겠지! 솔직히 그 찌질이 좋아하는 애 없다? 다 취업 때문에 맞춰 주는 거야. 그것도 모르고 열혈 교사 흉내 내고. 머저리."

"와아. 진짜 사악해."

"히힛. 자, 우리 건배하자. 우리의 엘레강스한 삶을 위하여!"

"건배!"

채챙!

그들은 축배를 들었다.

그렇게 한 잔, 두 잔, 돈 걱정이 없는 그들은 술을 취할 때까지 마셨다.

"그런데 괜찮겠어? 너 다니는 대학교수면 우리랑 비슷한 과 아니야?"

그러면 얼마 벌지 못하고 끝이다.

이런 일을 꽤 해 본 경험이 있는지라 그들은 아이러니하게도 판이 깨지지 않을 선과 사람 유형을 알았다.

미나미는 피식 웃었다.

"괜찮아. 최소 나 졸업할 때까지는 안전하니까. 그 사람 엄청 어수룩한 것도 있지만……."

"있지만?"

"풋. 웃긴 게 뭔지 알아?"

그녀는 몽롱하게 풀린 눈으로 술잔을 흔들었다.

"나 이거 누가 시켜서 하는 거다? 그 교수가 그만둬도 졸업할 때까지 돈을 주겠다는 계약서도 썼어."

둘의 눈이 동그래졌다.

"그게 무슨……?"

"뭐야, 이거 냄새나는데? 얼른 말해 봐."

둘의 채근에 알딸딸한 정신이 번쩍 깬 미나미는 기대하는 친구들의 눈빛에 눈을 질끈 감았다.

"이거 너희만 알아. 이 일 시킨 거 나 다니는 대학교 학장이야."

"뭐?"

"……뭐?"

"나 원래 그 교수 감시하는 역할이었거든."

둘의 눈은 동그래졌다.

그리고 그건 몇 시간 후 온천에 몸을 담그며 방금 전 회수한 녹음 파일을 듣고 있던 종혁도 마찬가지였다.

"학장은 또 뭐야?"

'꽃뱀 사건에 배후가 있다고?'

이런 내용의 대화를 바라며 이치로 교수라는 키워드를 던졌는데 생각지도 못한 게 튀어나왔다.

종혁의 표정이 딱딱하게 굳었다.

(회귀 경찰의 리셋 라이프 4권에서 계속)